日本語能力試験 完全模試 シリーズ

ゼッタイ合格！

日本語能力試験 完全模試

N5

Japanese Language Proficiency Test N5—Complete Mock Exams
日语能力考试　完全模拟试题　N5
일본어능력시험　완전모의고사　N5

渡邉亜子／青木幸子／高橋尚子／藤田朋世／黒江理恵●共著

Jリサーチ出版

はじめに
Introduction／前言／처음

　本書は、日本語能力試験のN1からN5のレベルのうち、N5の試験対策を目的に、3回分の模擬試験を用意しました。

　本書の特徴は、問題数が豊富であることです。模擬試験が3回分収録されていますから、試験直前にとにかくたくさん問題を解きたいという場合に使うことはもちろん、試験の傾向を知るために1回、少し勉強してから1回、試験直前に1回といった使い方をすることもできます。本書を使って本番と同じ形式の問題を3回解いてみれば、試験の特徴は十分につかめるでしょう。

　また、本書では、あまり時間がない中でも必要な試験対策がとれるよう、解説を工夫しました。問題を解いて答えの正誤を知るだけでなく、効率よく、正解を導くためのポイントを学んだり、今まで学んできた知識を整理したりできるようになっています。

　N5に合格するためには、幅広い日本語の知識とそれを適切に運用する力が求められます。本書を使って繰り返し学習することによって、弱いところや苦手なところを補強し、日本語能力の向上を目指してください。

　本書がN5合格を目指す皆さんのお役に立てることを願っています。

著者・編集部一同

もくじ
Contents／目录／목차

はじめに（Introduction／前言／처음）・・・・・・・・・・・・・・・・・・・・・・ 2

この本の使い方（How to Use this Book／该书的使用指南／이 책의 사용법）・・・・・・ 4

「日本語能力試験 N5」の内容・・・・・・・・・・・・・・・・・・・・・・・ 5
（JLPT N5 Test Content／「日语能力测试 N 5」的内容／"일본어 능력시험 N 5"의 내용）

模擬試験 第1回　解答・解説・・・・・・・・・・・・・・ 13
（Mock Exam 1　Answers/Explanation／第一次模拟测试 解答・解说／모의 고사 1 회 해답・해설）

模擬試験 第2回　解答・解説・・・・・・・・・・・・・・ 33
（Mock Exam 2　Answers/Explanation／第二次模拟测试 解答・解说／모의 고사 2 회 해답・해설）

模擬試験 第3回　解答・解説・・・・・・・・・・・・・・ 53
（Mock Exam 3　Answers/Explanation／第三次模拟测试 解答・解说／모의 고사 3 회 해답・해설）

採点表（Score Sheet／评分表／채점표）・・・・・・・・・・・・・・・・・・ 72

音声ダウンロードの方法（中国語版・韓国語版）・・・・・・・・・・・・ 74
How to Download Voice Data(Chinese version, Korean version)／
如何下载音频（中文版，韩文版）／음성 데이터 다운로드 방법（중국어판，한국어판）

付録「試験に出る重要語句・文型リスト」・・・・・・・・・・・・・・・ 75
（Appendix: List of Important Words/Phrases and Sentence-structures for the Test
附録「考试出现的重要词句・句型表」
부록 "시험에 나오는 중요 어구・문형 리스트"）

〈別冊 Supplement／分册／별책〉

模擬試験 第1回　問題・・・・・・・・・・・・・・・・・ 1
（Mock Exam 1　Questions／第一次模拟测试问题／모의고사 1 회 문제）

模擬試験 第2回　問題・・・・・・・・・・・・・・・・ 39
（Mock Exam 2　Questions／第二次模拟测试问题／모의고사 2 회 문제）

模擬試験 第3回　問題・・・・・・・・・・・・・・・・ 77
（Mock Exam 3　Questions／第三次模拟测试问题／모의고사 3 회 문제）

解答用紙（Answer Sheet／答卷用纸／해답용지）・・・・・・・・・・・・・ 117

この本の使い方

How to Use this Book ／该书使用指南／이 책의 사용법

この本は基本的に、指導者のサポートを前提にしています。わからない点があれば、周りの先生などに聞いてください。

This book is intended to be used with the support of an instructor. If there are points about which you are unclear, please ask your teacher for guidance.

该书主要是为指导教师提供教学参考而编写的。有不明白之处请向周围的指导教师咨询。

이 책은 기본적으로 교사의 서포트를 전제로 하고 있습니다 . 모르는 점이 있으면 주위의 선생님 등에게 물어 주세요 .

- 問題と解答用紙は付属の別冊に、解答・解説は本冊にあります。
- 「聴解」用のCDは、各回に1枚ずつ、計3枚あります。
- 「音声ダウンロードの方法」は、この本の一番前の部分と74ページにあります。
- 「言語知識」では、各問題に目標タイムを設けています。参考にしてください。
- 採点表（p.72～p.73）を使って採点してみましょう。得点結果をもとに、力不足のところがないか、確認してください。得点の低い科目があれば、特に力を入れて復習しましょう。

- The questions and answer sheet for the practice test are in the attached supplement, while the answers and explanations are contained in this book.
- There are 3 CDs in total for the Listening section, 1 for each.
- How to download audio can be found at the front of this book and on p.74.
- In the Language Knowledge section, the target time for each question is provided. Please use these as guidelines.
- Please score yourself using the Score Sheet (p.72 – p.73). Based on the results, please verify if there are areas which require more attention. If you have scored low in some sections, please focus on them when going over the materials.

- 问题及答卷用纸在附带的分册里 , 解答・解说在主册里。
- 「听解」用的 CD 每次测试一张 , 共计三张。
- 下载音频的说明在本书的开头和第 74 页。
- 在「语言知识」里设有解答每个问题所需要的理想时间 , 供参照。
- 利用评分表（p.72～p.73）自己评分。根据得分结果，可以确认自己的不足之处。如果某一方面得分较低，就加大那方面的复习力度吧。

- 문제와 답지는 부속된 별책에 있고 해답과 해설은 본책에 있습니다 .
- "청해" 용의 CD 는 각 회에 1 장씩 모두 3 장이 있습니다 .
- 음성 다운로드 방법은 이 책의 처음과 74 페이지에 있습니다 .
- "언어 지식"에서는 각 문제에 목표 시간을 설정하고 있습니다 . 참고해 주세요 .
- 채점표 (p.72～p.73) 를 사용하여 채점해 봅시다 . 득점 결과를 토대로 부족한 곳이 없는지 확인해 주세요 . 득점이 낮은 과목이 있으면 특히 노력하여 복습합시다 .

「日本語能力試験 N5」の内容

JLPT N5 Test Content／「日语能力测试 N5」的内容／"일본어 능력시험 N5"의 내용

★ p.5 ～ p.6 は、主に指導者用です。（★ p.5 ～ p.6: mainly for teachers）

1．N5 のレベル

基本的な日本語をある程度理解することができる。

読む	● ひらがなやカタカナ、日常生活で用いられる基本的な漢字で書かれた定型的な語句や文、文章を読んで理解することができる。
聞く	● 教室や、身の回りなど、日常生活の中でもよく出会う場面で、ゆっくり話される短い会話であれば、必要な情報を聞き取ることができる。

2．試験科目と試験時間

● 「言語知識（文法）」と「読解」は同じ時間内に、同じ問題用紙、同じ解答用紙で行われます。自分のペースで解答することになりますので、時間配分に注意しましょう。

	言語知識（文字・語彙）	言語知識（文法）・読解	聴解
時間	20分	40分	30分

3．合否（＝合格・不合格）の判定

● 「総合得点」が「合格点」に達したら、合格になります。確実に6～7割の得点が得られるようにしましょう。

● 「得点区分別得点」には「基準点」が設けられています。「基準点」に達しなければ、「総合得点」に関係なく、不合格になります。苦手な科目をつくらないようにしましょう。

	言語知識・読解（文字・語彙・文法）	聴解	総合得点	合格点
得点区分別得点	0～120点	0～60点	0～180点	80点
基準点	38点	19点		

4. 日本語能力試験 N5 の構成

		大問	小問数	ねらい
言語知識 (20分)	文字・語彙	1 漢字読み	7	漢字で書かれた語の読み方を問う。
		2 表記	5	ひらがなで書かれた語が、漢字・カタカナでどのように書かれるかを問う。
		3 文脈規定	6	文脈によって意味的に規定される語が何であるかを問う。
		4 言い換え類義	3	出題される語や表現と意味的に近い語や表現を問う。
言語知識・読解 (40分)	文法	1 文の文法1（文法形式の判断）	9	文の内容に合った文法形式かどうかを判断することができるかを問う。
		2 文の文法2（文の組み立て）	4	統語的に正しく、かつ、意味が通る文を組み立てることができるかを問う。
		3 文章の文法	4	文章の流れに合った文かどうかを判断することができるかを問う。
	読解	4 内容理解（短文）	2	学習・生活・仕事に関連した話題・場面の、やさしく書き下ろした80字程度のテキストを読んで、内容が理解できるかを問う。
		5 内容理解（中文）	2	日常的な話題・場面でやさしく書き下ろした250字程度のテキストを読んで、内容が理解できるかを問う。
		6 情報検索	1	案内やお知らせなどの書き下ろした情報素材（250字程度）の中から必要な情報を探し出すことができるかを問う。
聴解 (30分)		1 課題理解	7	まとまりのあるテキストを聞いて、内容が理解できるかどうか（次に何をするのが適当か理解できるか）を問う。
		2 ポイント理解	6	まとまりのあるテキストを聞いて、内容が理解できるかどうか（ポイントを絞って聞くことができるか）を問う。
		3 発話表現	5	イラストを見ながら、状況説明を聞いて、適切な発話が選択できるかを問う。
		4 即時応答	6	質問などの短い発話を聞いて、適切な応答が選択できるかを問う。

※ 小問数は大体の予定の数で、実際にはこれと異なる場合があります。2020年度第2回試験より「言語知識（文字・語彙）」が5分、「言語知識（文法）・読解」が10分短縮され、小問の目安の数が少なくなりました（上記の内容）が、本書は変更前の構成に基づいた内容になっております。

試験に関する最新情報は、日本語能力試験の公式ホームページ（ https://www.jlpt.jp ）でご確認ください。

N5各問題のパターンと解答のポイント

N5-level Question Patterns and Tips for Answering／N5 每个问题的类型及解答要点／N5 각 문제의 패턴과 해답 포인트

言語知識（文字・語彙）

Language Knowledge (Vocabulary, Characters)
语言知识（文字・词汇）　언어 지식 (문자・어휘)

問題1
【漢字読み】

漢字の正しい読みを選ぶ。
Choose the correct reading of the kanji.
选择汉字的正确读法。　한자를 바르게 읽은 것을 고른다.

よく出る問題・語句

- 長い音（「ー」）か長くない音か（例おかあさん）
- 詰まる音（「っ」）か詰まらない音か（例がっこう）
- 「゛」や「゜」の付く音か付かない音か（例ひらがな）
- 「ん」が入るか「ん」が入らないか（例しんぶん）

問題2
【表記】

ひらがなの正しい漢字（またはカタカナ）をえらぶ。
Choose the correct *kanji* (or *katakana*) for the *hiragana*.
选择与平假名（或片假名）相符的准确汉字。
히라가나 부분의 바른 한자 (또는 가타카나)를 고른다.

⇒一つ一つの漢字を正しく覚えましょう。
Learn each individual kanji accurately.
正确记住每一个汉字。　하나하나의 한자를 바르게 외웁시다.

問題3
【文脈規定】

文に合う語を選ぶ。
Choose the word that fits the sentence.
选择与句子相符的词。　문장에 맞는 말을 고른다.

⇒同じグループの語を区別する。（例てがみ－はがき、スーパー－コンビニ）
Differentiate between words in the same group.
区分同一组词。　같은 그룹의 말을 구별한다.

問題4
【言い換え類義】

別な言葉や言い方で、意味がだいたい同じものを選ぶ。
Choose a different word or phrase that is similar in meaning.
选择具有同一种意思的另一种词语及说法。
다른 말이나 표현으로 의미가 대체로 같은 것을 고른다.

言語知識（文法）

Language Knowledge (Grammar)
语言知识（语法）　언어 지식（문법）

問題1
【文の文法1（文法形式の判断）】

文に合う語を選ぶ。
Choose the word that fits the sentence.
选择与句子相符的词。　문장에 맞는 말을 고른다．

⇒助詞をよく復習しておきましょう。
Go over the particles thoroughly.　复习好助词的用法。　조사를 잘 복습해 둡시다．

問題2
【文の文法2（文の組み立て）】

語を並べ替えて、文を作る。
Rearrange the words to form a sentence.
排列词语造句。　단어를 바른 순서로 고쳐 문장을 만든다．

（もんだいれい）　＿★＿に 入る ものは どれですか。1・2・3・4から いちばん いい ものを 一つ えらんで ください。

A「その ＿＿＿ ＿＿＿ ＿★＿ ＿＿＿ 買いましたか。」
B「大学の 本屋で 買いました。」
1 は　　　2 本　　　3 で　　　4 どこ

（こたえの れい）A「その ＿2本＿ ＿1は＿、＿4どこ＿ ＿3で＿ 買いましたか。」
B「大学の 本屋で 買いました。」

問題3
【文章の文法】

長い文を読んで、前後のつながりが合う語を入れる。
Read the whole sentence and insert words that connect with what comes before and after. 阅读长句，按前后关系填入适当词。
긴 문장을 읽고 앞뒤 연결이 맞는 말을 넣는다．

（もんだいれい）
22 から 26 に 何を 入れますか。ぶんしょうの いみを かんがえて、1・2・3・4から いちばん いい ものを 一つ えらんで ください。

日本で べんきょうして いる 学生が「行きたい ところ」の ぶんしょうを 書いて、クラスの みんなの 前で 読みました。

マリアさんの ぶんしょう
　わたしは 北海道に 行きたいです。北海道には きれいな ところが たくさん あります。おいしい 食べ物 22 たくさん あります。みそラーメンは いちばん 食べたいです。それから、スキーも やりたいです。北海道の 雪は とても 23 雪ですから、楽しみです。

22　1 に　　　2 の　　　3 も　　　4 で
23　1 いい　　2 わるい　　3 たかい　　4 ひくい

読解 (どっかい)

Reading 读解 독해

問題4 【内容理解（短文）】

80字くらいの文章を読んで、内容が理解できるかを問う。

Tests if the candidate is able to read and comprehend the contents of a passage around 80 characters in length.
读一篇80字左右的文章，测试是否能够理解文章内容。
80자 정도의 문장을 읽고 내용을 이해 할 수 있는지를 묻는다.

問題5 【内容理解（中文）】

250字くらいの文章を読んで、書かれている内容のポイントを理解しているかを問う。

Tests if the candidate comprehends the key points of the contents of a passage around 250 characters in length.
读一篇250字左右的文章，测试是否能够理解文章的关键内容。
250자 정도의 문장을 읽고 쓰여져 있는 내용의 포인트를 이해하고 있는지 묻는다.

よく出る問題・語句

- どんな～しますか / しましたか
- どのように～します / しましたか
- どうして～しますか / しましたか
- 何を～しますか / しましたか

問題6 【情報検索】

250字くらいの情報の中から必要な情報を探し出すことができるかを問う。

Tests if the candidate is able to retrieve necessary information from a passage around 250 characters in length.
测试是否能从250字左右的文章中找到需要的信息。
250자 정도의 정보에서 필요한 정보를 찾아낼 수 있는가를 묻는다.

よく出る問題・語句

- どんな～しますか / しましたか
- どのように～します / しましたか
- どうして～しますか / しましたか
- 何を～しますか / しましたか

聴解
ちょうかい

Listening 听解 청해

● **聴解問題のポイント** ●
ちょうかいもんだい

Tips for Listening Questions ／听解问题的要点／청해 문제의 포인트

❶ 音声は１回しか聞けないので、１問１問集中して聞く。
❷ 答えに迷っても、そこで時間をかけない（次の問題に集中できなくなる）。
❸ 質問文の内容を正しく聞き取る。
❹ 会話では省略される言葉が多い。「だれが？」「何を？」などをしっかりつかむようにする。

❶ The recording will only be played once, so concentrate on each individual question while listening.
❷ Even if you are unsure of the answer, do not linger on that question (you will be unable to concentrate on subsequent questions).
❸ Pick up the meaning of the questions accurately.
❹ There are many words that are left out in conversation. Try to grasp right away 'who' is doing 'what' etc.

❶ 录音只能听一次，要集中精力听好每个问题。
❷ 不明确答案时，不要在那花时间(后面的问题不能集中精力听)。
❸ 提问的内容要听准确。
❹ 会话中省略的词语很多，要牢牢抓住「谁？」「干什么？」。

❶ 음성은 １회밖에 들을 수 없으니 문제 하나하나를 집중해서 듣는다．
❷ 답이 헷갈려도 거기에서 시간을 낭비하지 않는다 (다음 문제에 집중할 수 없어진다)．
❸ 질문 내용을 바르게 듣는다．
❹ 회화에서는 생략되는 말이 많다．"누가 ?" "무엇을 ?" 등을 제대로 파악하도록 한다．

問題1 【課題理解】

二人の会話を聞いて、内容が理解できるかどうかを問う。
Tests if the candidate is able to listen to and comprehend the contents of a conversation between two persons.
听取两个人的对话，测试是否能够理解谈话内容。
두 사람의 회화를 듣고 내용을 이해할 수 있는지를 묻는다.

流れ

1 状況説明と質問（1回目）を聞く
2 会話を聞く
3 質問（2回目）を聞く→答えを選ぶ
※絵を使った問題が多い。

1 Listen to explanation of the situation and questions (first time)
2 Listen to the conversation
3 Listen to the questions (second time) → choose an answer

1 第一遍听状况说明及提问内容
2 听会话内容
3 第二遍听提问的内容→然后选择答案

1 상황 설명과 질문 (1번째)를 듣는다
2 회화를 듣는다
3 질문 (2번째)를 듣는다→답을 고른다

よく出る問題・語句

- どの～を…しますか。
- （はじめに）何を…しますか。

問題2 【ポイント理解】

二人の会話または一人のスピーチなどを聞いて、ポイントがつかめるかどうかを問う。
Tests if the candidate is able to grasp the key points of a dialogue/speech/etc.
听取两个人的对话或一个人的讲话，测试是否能抓住话题的要点。
두 사람의 대화 또는 한 사람의 스피치를 듣고 포인트를 파악하고 있는지 묻는다.

流れ

1 状況説明と質問（1回目）を聞く
2 会話を聞く
3 質問（2回目）を聞く→答えを選ぶ

1 Listen to explanation of the situation and questions (first time)
2 Listen to the conversation
3 Listen to the questions (second time) → choose an answer

1 第一遍听状况说明及提问内容
2 听会话内容
3 第二遍听提问的内容→然后选择答案

1 상황 설명과 질문 (1번째)를 듣는다
2 회화를 듣는다
3 질문 (2번째)를 듣는다→답을 고른다

よく出る問題・語句

- ～は、どうして…か。
- ～は、いつ／何時（の○○）に…か。
- ～は、どこで…か。
- ～は、何を／どんな○○を…か。
- ～は、誰と…か。
- ～は、何で…か。

11

問題3 【発話表現(はつわひょうげん)】

絵を見ながら、状況説明を聞いて、それに合った表現を選べるかを問う。

Tests if the candidate is able to choose the appropriate expression while looking at a picture and listening to an explanation of the situation.
看图听取情况说明，测试是否能正确选择与之相符的表达方式。
그림을 보며 상황 설명을 듣고 거기에 맞는 표현을 고를 수 있는지를 묻는다.

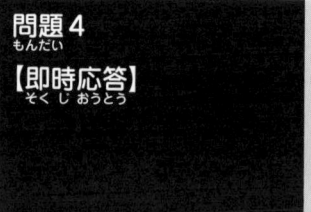

流れ
1 絵を見る
2 状況説明と質問を聞く
3 選択肢を聞く→答えを選ぶ

1 Look at the picture
2 Listen to the explanation of the situation and questions
3 Listen to the answer choices → choose an answer

1 看图
2 听状况说明及提问内容
3 听几种可能性的选择→最后选择正确的答案

1 그림을 본다
2 상황 설명과 질문을 듣는다
3 선택 항목을 듣는다→답을 고른다

→基本的なあいさつ表現を覚えておきましょう。
Try to learn and memorize basic greetings.
记住基础的日常问候语。
기본적인 인사 표현을 외웁시다.

問題4 【即時応答(そくじおうとう)】

相手の短い質問などに対して、それに合った答え方が選べるかを問う。

Tests if the candidate is able to choose the appropriate response to a conversation partner's short questions or statements.
对于对方简短的提问，测试是否能选择正确的答案。
상대의 짧은 질문 등에 대해 거기에 맞는 답을 고를 수 있는지를 묻는다.

流れ
1 会話のうち、先に話すほうを聞く
2 選択肢（会話のあとのほう）を聞く
  →答えを選ぶ

1 Listen to the first speaker in the conversation
2 Listen to the answer choices (for what should come next in the conversation) → choose an answer

1 会话时,听先说的人的问话内容
2 然后听几种可能性的选择→最后选择答案

1 회화 속에서 먼저 말하는 쪽을 듣는다
2 선택 항목(회화의 뒷부분)을 듣는다→답을 고른다

模擬試験 第1回 解答・解説

正答一覧

言語知識（文字・語彙）

問題1		問題3	
1	4	19	3
2	1	20	2
3	2	21	1
4	4	22	1
5	3	23	3
6	4	24	3
7	3	25	3
8	3	26	2
9	2	27	2
10	2	28	1

問題2		問題4	
11	1	29	4
12	1	30	2
13	3	31	3
14	1	32	4
15	2	33	1
16	2		
17	1		
18	2		

言語知識（文法）・読解

問題1		問題3	
1	3	22	2
2	3	23	1
3	1	24	3
4	4	25	2
5	1	26	2
6	1	問題4	
7	2	27	3
8	4	28	3
9	4	29	4
10	1	問題5	
11	1	30	4
12	3	31	3
13	2	問題6	
14	3	32	4
15	2		
16	1		

問題2	
17	1
18	3
19	3
20	3
21	4

聴解

問題1		問題3	
れい	3	れい	2
1	2	1	1
2	3	2	3
3	2	3	2
4	3	4	1
5	1	5	1
6	2	問題4	
7	3	れい	2
問題2		1	3
れい	1	2	1
1	4	3	2
2	2	4	1
3	2	5	3
4	1	6	3
5	3		
6	3		

※ 解説では「言葉と表現」でN5レベルの語を取り上げ、チェックボックス（□）を付けています。説明のために取り上げた一部の難しい語には△を付けています。

言語知識（文字・語彙）

```
N  = 名詞 (Noun)              V た形 = 動詞(Verb)のた形
A  = い形容詞 (い-Adjective)   V て形 = 動詞(Verb)のて形
Na = な形容詞 (な-Adjective)   V ます形 = 動詞(Verb)のます形
                             V じしょ形 = 動詞(Verb)の辞書形
```

もんだい1

1 正答4

▶ □ 兄 = キョウ／あに
　例「兄が 一人、姉が 一人 います。」
　「お兄さんは 何さいですか。」

▶ □ 弟 = ダイ／おとうと
　例「弟が 一人、妹が 一人 います。」「弟さんは 何さいですか。」

2 正答1

▶ □ 西 = にし
　例 駅の 西側 (west side／西边／서쪽)

3 正答2

▶ □ 四 = シ／よ、よっ、よん
　例 四月・四人・四つ・四日・四個

▶ □ 日 = ニチ／ひ、か
　例 日曜日、日記 (diary／日记／일기)、朝日 (morning sun／朝阳／아침 해)、日にち (date／日期／날짜)、誕生日、八日

4 正答4

▶ □ 下 = カ／した
　例 地下鉄 (subway／地铁／지하철)、下着 (underwear／内衣／속옷)

5 正答3

▶ □ 高 = コウ／たかーい
　例 高校、高い ビル

6 正答4

▶ □ 800 = ハッピャク
　例 600 (ロッピャク)

▶ □ 円 = エン
　例 日本円

7 正答3

▶ □ 三 = サン／み
　例 三回、三日、三つ

▶ □ 本 = ホン
　例 本屋、1本・2本・3本・何本

8 正答 3

- □ 半＝ハン
  - 例 12時半、半年
- □ 分＝フン、プン、ブン
  - 例 1時2分、3時3分

9 正答 2

- □ 新＝シン／あたら－しい
  - 例 新聞、新しい 靴

10 正答 2

- □ 海＝カイ／うみ
  - 例 海岸(coast／海岸／해안)、海で 泳ぐ

もんだい2

11 正答 1

- □ ワイシャツ：white shirt →ホワイトシャツ→ワイシャツ。

他のせんたくし／ Other options

□のカタカナについて、「ワイシャツ」と違うところはどこか、見ましょう。
2 ワイシャソ 3 ウイリャツ 4 ウィシヤツ

12 正答 1

- □ 食べます：to eat／吃／먹습니다
- □ 食＝ショク／た－べます
  - 例 食事(meal／吃饭、进餐／飲食／식사)、食堂(cafeteria; dining commons／食堂／식당)、食べ物

13 正答 3

- □ 東：east／东方／동쪽
- □ 東＝トウ／ひがし
  - 例 東京、駅の 東側(east side／东边／동쪽)

他のせんたくし／ Other options

1 来＝ライ／き－ます
  - 例 来月／友だちが家に来ました。
2 車＝シャ／くるま
  - 例 電車、自動車(＝車)／車に乗ります。
4 天＝テン 例 天気

14 正答 1

- □ 万＝マン ten thousand／万／만 ＝10000
  - 例 10万円

他のせんたくし／ Other options

2 子＝シ／こ
  - 例 *女子学生、子ども *女子：女(の)
3 方＝ホウ／かた
  - 例 安い方、大きい方／あの 方は どなたですか。
4 友＝とも 例 友だち

15 正答 2

- □ 午後：afternoon／下午／오후
- □ 午＝ゴ 例 午前
- □ 後＝ゴ／うし－ろ
  - 例 1時間後、車の 後ろ、後ろの 人

模擬試験 第1回 解答・解説

16 正答 2

□ **聞きます**:to listen; to hear／听／듣습니다
▶ □ 聞＝ブン／きーきます
　例 新聞／音楽を　聞きます。

他のせんたくし／ Other options
1 間＝カン／あいだ
　例 一週間：(for) a week／銀行と　本屋の　間に　花屋が　あります。
3 問＝モン　例 問題、質問
4 門＝モン　例 門が　閉まっています。

17 正答 1

□ **時間**：～ hours／～小时、时间／～시간
▶ □ 時＝ジ／とき
　例 3時、時々
▶ □ 間→ 16

18 正答 2

□ **雨**：rain／雨天／비
▶ □ 雨＝あめ
　例 今日は　雨です。／雨が　降っています。

もんだい3

19 正答 3

□ **ニュース**：news
　例 その　事故は、テレビの　ニュースで　知りました。

他のせんたくし／ Other options
1 ノート：notebook
　例 ノートに　漢字を　書きます。

2 ラジオ：radio
　例 ラジオを　聞きます。
4 ポスト：post

20 正答 2

□ **かえします**：to return／还／돌려줍니다
　例 借りた　本を　返しました。

他のせんたくし／ Other options
1 おします
　例 その　ボタンを　押して　ください。
3 かえります　例 家へ　帰ります。
4 おわります
　例 授業は3時に　終わります。

21 正答 1

□ **かぶります**：to put on (a hat)／戴／쓰다
　例 帽子を　かぶっている　人が　田中さんです。

他のせんたくし／ Other options
2 きます
　例 彼は　いつも　スーツを　着ています。
3 はきます
　例 彼女は　スカートを　はいています。
4 はいります
　例 箱の　中に　リンゴが　入っています。

22 正答 1

□ **あぶない**：unsafe; dangerous／危险的／위험하다
　例 危ないですから、エスカレーターでは　走らないで　ください。

他のせんたくし／ Other options
2 いたい　例 頭が　痛いです。

3 おおきい
　例 この くつは 少し 大きいです。
4 とおい
　例 A ホテルは 駅から 遠いです。

[23] 正答 3
　□回：〜times／〜次／〜회
　例 一日 2回 薬を 飲みます。

他のせんたくし／Other options
1 えん　例 この カバンは 1万円です。
2 だい　例 車が 3台 とまっています。
4 ばん　例 日本語の テストは クラスで 1番でした。

[24] 正答 3
　□にもつ：luggage／货物／짐
　例 その 荷物、わたしが 持ちます。

他のせんたくし／Other options
1 やま　例 高い 山
2 みみ
　例 風が 冷たくて、耳が 痛いです。
4 りょうり
　例 料理を 作ります。／からい 料理

[25] 正答 3
　□とります：take(a picture)／我拍照／찍습니다
　例 みんなで 写真を とりましょう。

他のせんたくし／Other options
1 かいます　例 封筒を 買います。
2 まちます　例 駅で 友だちを 待ちます。
4 もちます
　例 わたしが その 箱を 持ちます。

[26] 正答 2
　□れんしゅう（する）：practice／练习／연습
　例 毎日 1時間、ピアノの 練習を します。

他のせんたくし／Other options
1 せんしゅう
　例 先週の 土曜日、プール へ 行きました。
3 コート：court
　例 みんなは テニス コートに います。
4 スポーツ：sport(s)
　例 スポーツは 体に いいです。

[27] 正答 2
　□となり：next (door, block, etc)／隔壁／이웃, 옆
　例 アパートの となりが コンビニですから、便利です。

他のせんたくし／Other options
1 まえ
　例 駅の 前に デパートが あります。
3 うえ
　例 机の 上に お菓子が あります。
4 した
　例 机の 下に 猫が います。

[28] 正答 1
　□フォーク：fork
　例 ケーキを 食べる ときは フォークを 使います。

他のせんたくし／Other options
2 ナイフ
　例 フォークは ありますが、ナイフは

模擬試験 第1回 解答・解説

　　ありません。
3 はし
　　例 はしの 使い方は 難しいです。
4 スプーン
　　例 スープは スプーンで 飲みます。

もんだい4

29 正答 4

もう、だいじょうぶです。
⇒（かぜが なおって）今は 元気です。

30 正答 2

じかんが かかります。＝長い 時間が 必要です。
⇒すぐに できません。

31 正答 3

ゆうべ＝きのうの 夜

32 正答 4

じょうずでは ありません。＝下手です（↔上手です）。

33 正答 1

きたないです。＝きれい（↔きたない）ではありません。

言語知識（文法）・読解

文法

もんだい1

1 正答3

スーパーで りんご（と） みかんを かいました。
1 は　2 も　3 と　4 か

□ ～と
例 銀行と スーパーへ 行きます。（A＋B）

他のせんたくし／Other options

1 ここは 教室です。（A is...）
2 飲み物も 買いました。（also A／～, too）
3 えんぴつか ボールペンで 書いてください。（A or B）

2 正答1

弟は 今年、大学（に） 入りました。
1 に　2 が　3 か　4 や

□ ～に
例 電車に 乗る、いすに 座る（場所＋結果：result, conclusion／結果／결과）

他のせんたくし／Other options

2 雨が ふっています。
4 スーパーで 野菜や くだものを 買いました。

3 正答1

これは、わたし（が） かいた 絵です。
1 が　2 で　3 は　4 を

□ ～が
例 これは 母が 作った 服です。

4 正答4

兄は サッカーが 好きですが、弟（は） あまり 好きでは ありません。
1 と　2 に　3 も　4 は

□ ～は
例 山田さんは パソコンを 持っていますが、田中さんは 持っていません。（対比：comparison, contrast／対比／대비）

他のせんたくし／Other options

2 教室に テレビが あります。（存在する場所：place of existence／它是存在哪里／존재하는 장소）

5 正答1

わたしは 自転車（に） のって、うみへ 行きました。
1 に　2 の　3 で　4 を

□ ～に
例 母は 車に のって 買い物に 行きました。

他のせんたくし／Other options

3 バスで 会社へ 行きます。（手段：

模擬試験 第1回 解答・解説

means, instrument／手段／수단）

4 ごはん**を** 食べます。（動作の対象：object of action／动作的对象／동작 대상）

6 正答1

A「何時に うちへ 帰りますか。」
B「7時（ごろ） 帰ります。」
1 ごろ　2 じゅう　3 まで　4 ぐらい

□ ～ごろ

　例 わたしは いつも11時ごろに ねます。（「時間＋ごろ」でだいたいの時間を表す）

他のせんたくし／Other options

2 かぜを ひいて、きのうは 一日中 寝ていました。（その間ずっと：all the time／毎时毎刻／그 동안 쭉）

3 毎日、5時まで 働きます。（until ～／到～／～까지）

4 わたしは 毎晩 3時間ぐらい 勉強します。（about ～／大约～／～左右／～ 정도）

7 正答2

A「田中さんは、どこですか。」
B「あそこです。今 電話で（話しています）。」
1 話しました　　2 話しています
3 話しませんでした　4 話しません

□ ～ています

　例 リサさんは 今 本を 読んでいます。（動作の進行：progress of action／动作的进行／동작의 진행）

8 正答4

田中「リサさんは、（いつ） 国へ 帰りますか。」
リサ「1月に 帰ります。」
1 どのくらい　　2 なに
3 どこ　　　　　4 いつ

□ いつ

　例 いつ 日本へ 来ましたか。（時期：period, time／时间／시기）

他のせんたくし／Other options

1 毎晩 どのくらい 勉強していますか。（時間や程度：time or degree／时间和程度／시간이나 정도）

2 昼ご飯に 何を 食べましたか。（もの）

3 どこで 昼ごはんを 食べましたか。（場所）

9 正答4

先生「明日は 本と ノートを（持ってきてください）。」
学生「はい。わかりました。」
1 持ってきました
2 持ってきましょうか
3 持ってきたいです
4 持ってきてください

□ ～てください

　例 先生「質問が ある人は 手を あげてください。」（指示：instructions／指示／지시）

他のせんたくし／Other options

2 たくさん 荷物を 持っていますね。ひとつ 持ちましょうか。（申し出：offer, proposal／提出／신청）

3 お腹が すきましたから、ごはんを 食べたいです。（願望：wish／愿望／희망）

10 正答 1

わたしは 子どもの 時、スポーツが （好きではありませんでした）。

1 好きではありませんでした
2 好きくなかったです
3 好きはなかったです
4 好きではないでした

※会話では、1は「好きじゃありませんでした」と言う場合が多い。
※Naの過去の否定形は、「Naではありませんでした／Naじゃなかったです」。

11 正答 1

A「田中さんの 電話ばんごうを 知っていますか。」
B「いいえ。（知りません）。」

1 知りません
2 知りないです
3 知っていません
4 知っていないです

※「知っています」⇔「知りません」。

12 正答 3

A「映画を （見た）あとで、デパートへ 行きませんか。」
B「ああ、いいですね。」

1 見る　2 見て　3 見た　4 見ます

□ ～たあと(で)

例 お昼を 食べたあと、図書館へ 行きませんか。（＝Vタ形＋あと(で)）

13 正答 2

かよう日と もくよう日（だけ）ピアノを 教えています。

1 から　2 だけ　3 まで　4 ほど

14 正答 3

木村「田中さんは、よく テレビを 見ますか。」
田中「いいえ、（あまり） 見ません。」

1 よく　　　　　2 ときどき
3 あまり　　　　4 すこし

□ あまり～ない(ません)

例 わたしは スポーツが あまり 好きじゃありません。（＝「あまり＋～ない」）

他のせんたくし／Other options

1 わたしは よく 本を 読みます。
2 わたしは ときどき 本を 読みます。
4 わたしは きのう すこし 本を 読みました。

15 正答 2

きのうの 映画は （おもしろくなかったです）。

1 おもしろくないかったです
2 おもしろくなかったです
3 おもしろいじゃなかったです
4 おもしろいだったです

★A（「安い」「近い」など）の過去形(past tense form／过去形式／과거형)＋ナイ形：⇒Aくなかったです／Aくありませんでした

16 正答 1

A「きのう、新しい デパートへ 行きました。」
B「（そうですか）。どうでしたか。」

1 そうですか　　　2 そうですよ
3 そうですね　　　4 そうです

模擬試験 第1回 解答・解説

□ **そうですか**

例 A「わたしは きのう、ひさしぶりに 森さんに 会いました。」
B「そうですか。森さん、元気でしたか。」（今まで知らなかった）

他のせんたくし／Other options

2 A「リサさんは ブラジルからの 留学生なんですね。」
B「そうですよ。この前、みんなの前で 言っていましたよ。」（前から知っている）

3 A「リサさんは とても まじめで、いい 学生ですね。」
B「そうですね。わたしも そう 思います。」（同じ考え）

4 A「これは 田中さんの かばんですか。」
B「ええ、そうです。」（"YES"の返事）

もんだい2

17 正答 1

「新しい ₂教室₄は ₁ひろくて ₃きれいですね。」
「ええ。子どもたちも きっと 喜ぶでしょう。」

⇒ [〈新しい教室〉は]〈ひろくて〉〈きれいです〉〈ね〉。

18 正答 3

けさは ₄何₁も ₃食べないで ₂学校へ 来ました。

⇒ [けさは〈何も食べないで〉]学校へ来ました。

19 正答 3

「すみません、ゆうびんきょく₄は ₁どこ₃に ₂ありますか。」
「あの 白い ビルの 前に ありますよ。」

⇒ すみません、[ゆうびんきょくは〈どこに〉ありますか]。

20 正答 3

「スミスさん、けさは 何を しましたか。」
「図書館₂へ ₄本₃を ₁かりに 行きました。」

⇒ 図書館へ[〈本を〉かりに]行きました。

21 正答 4

「今日の 午後は 映画を ₃見て ₂それから ₄きっさてん₁へ 行きませんか。」
「ええ。そうしましょう。」

⇒「今日の午後は〈映画を見て〉、それから、きっさてんへ行きませんか。

もんだい3

22 正答 2

□ **～から**

ブラジルから 来ました。（from ～）

23 正答 1

日本語で 日本の 映画を 見たいです。でも、まだ 日本語が あまり わかりません。（逆接：contradictory conjunction／矛盾的結合／역접）

他のせんたくし／Other options

2 きのうは 本を 読んで、それから 宿題を しました。（Aのあとで、B）

3 お腹が 痛いです。だから 食べません。（理由→結果：result, conclusion／結果／결과）

4 では、そろそろ 帰ります。（「じゃあ」）

24 正答3

わたしは 今 日本の 会社で 働いて います。（職業・所属：occupation, section of a company／職業、所属／직업・소속）

25 正答2

また（すしを）食べに 行きたいです。（願望：wish／愿望／희망）

他のせんたくし／Other options

1、3は人を *誘うときの表現。*誘う：to invite／约／권유하다

26 正答2

好きなもの→「何」。

他のせんたくし／Other options

1「どちら」→2つのもの。

3「どこ」→場所。

4「いくら」→ねだん。

読解

もんだい4（短文）

(1)「誕生日のプレゼント」

27　正答3

ここがポイント

「妹も大好きな歌」「いっしょに」から「妹と聞きました」。

他のせんたくし／Other options

1、2 → 田中さんと石川さんからCDをもらった。
4 → 弟は今日聞いている。

(2)「図書館はどこですか」

28　正答3

ここがポイント

「右にまがる」は、↱。
「左にまがる」は、↰。

ことばと表現

- まがる：to turn (right/left) ／拐弯／꺾어지다, 방향을 바꾸다
- まっすぐ：straight ／照直, 笔直／똑 바로
- かど：corner ／角落／구석

(3)「北海道へ行きます」

29　正答4

ここがポイント

「16日の夜はひとりです⇒16日の夜は会う時間があります」と読む。

他のせんたくし／Other options

1 → 15日の昼については、書いていない。
2、3 → 友だちといっしょ⇒会う時間がない。

もんだい5

「どうぞ」

30　正答4

ここがポイント

「本を読んでいましたから、おばあさんがいることがわかりませんでした。」⇒おばあさんを見ていなかった。

31　正答3

ここがポイント

「次は　電車や　バスの　中で　おじいさんや　おばあさんに「どうぞ」と言いたいです。」から、答えは3。

ことばと表現

- すわる：to sit ／坐／앉다

もんだい6

「どうぶつえん」

32 正答 4

ここがポイント

子どもは3人だが、高校生の子どもは来ていない。来たのは、大人2人、10さいが1人、5さいが1人。(800×2)+(500×1)+(0×1)=2100円。

ことばと表現

□ どうぶつえん：zoo／动物园／동물원

聴解
ちょうかい

問題1（課題理解）
もんだい　かだいりかい

れい　正答3

家で、女の人が男の人と話しています。女の人は、男の人に何を出しますか。

F：今日は寒いですね。温かいものを飲みませんか。
M：ありがとうございます。
F：コーヒー、こうちゃ、あと、お茶もありますけど。
M：じゃ、こうちゃをお願いします。
F：さとうやミルクは入れますか。
M：あ、はい。

女の人は、男の人に何を出しますか。

ことばと表現

☐ 寒い：cold (weather) ／冷／춥다
☐ 温かい：warm／暖和的／따뜻하다
　例 温かいベッド
　↔ ☐ 冷たい：cold／冷的／차갑다
☐ ミルク：ぎゅうにゅう。コーヒーなどに入れるものはミルクという。

1ばん　正答2

旅行会社の人が学生に話しています。学生は、はじめに何をしますか。

F：さくら日本語学校のみなさん、ここに来てください。今からみんなで写真をとります。写真をとったあとはフリータイムです。ご飯を食べたり、お寺を見たり、買い物をしたり、好きなことをしてください。2時にまたここへ来てください。では、写真を撮りましょう。

学生は、はじめに何をしますか。

ことばと表現

☐ みなさん：everyone／各位／여러분
☐ みんなで：in all／大家（一起）／모두
☐ 写真をとる：to take a picture／照相／사진을 찍다
△ フリータイム：フリー（free／自由／자유）＋タイム（時間）。
☐ (お)寺：temple／寺院／절
☐ 買い物：shopping／买东西，购物／쇼핑
☐ 好き(な)：fond／喜欢／좋아하는
　↔ ☐ きらい(な)：dislikable; to dislike／讨厌的／싫어하는

2ばん　正答3

デパートで、男の人と店の人が話しています。男の人は何階に行きますか。

M：あのう、すみません。めがね売り場はどこですか。
F：6階でございます。
M：6階ですね。あ、ここは何階ですか。
F：2階でございます。
M：あ、どうも。

男の人は何階に行きますか。

ことばと表現

- □ 売り場：売るところ。例おもちゃ売り場
- □ 〜でございます：〜です。
- □ どうも：「ありがとう」や「こんにちは」などの意味を表す短いことば。

3ばん　正答2　06 CD1

教室で、先生が 話しています。学生は明日、どの 本を 持ってきますか。

F：明日から 日本語の クラスが 始まります。この『日本語1』は 毎日使いますから、忘れないで ください。「2」は、今は 使いません。それから、明日は 火曜日ですから、漢字の 授業も あります。漢字の 本も 持ってきて ください。
M：先生、この 本は？
F：その 本は 練習に 使う 本です。うちで 使って ください。

学生は 明日、どの 本を 持ってきますか。

ことばと表現

- □ クラス：class ／班級／클래스
- □ 練習(する)：practice ／练习／연습
- □ うち：家。

4ばん　正答3　07 CD1

女の 人と 男の 人が 話しています。男の 人は、何を しますか。

F：この 部屋、暑いですね。
M：そうですね。窓を 開けましょうか。
F：いえ、今日は 風が 強いですから、窓は 開けないで ください。エアコンを つけましょう。
M：そうですね。

男の 人は、何を しますか。

ことばと表現

- □ 暑い：hot (weather) ／热／덥다
  ⇔ □ 寒い
- □ 強い：strong ／强的／강하다　例強い雨、強いチーム
  ⇔ □ 弱い：weak ／弱的／약하다
- □ エアコン：air conditioner ／空调／에어컨
- □ つける（電気を）：to switch on, turn on ／弄上电的／전기를 점화

5ばん　正答1　08 CD1

男の 学生と 女の 学生が 話しています。女の 学生は どの カーテンを 買いますか。

M：明日は 何を しますか。
F：カーテンを 買います。
M：カーテンを？ 小さい カーテンですか。
F：いえ、大きい カーテンです。わたしの 部屋に 最初から ありましたが、あまり 好きな デザインではありませんでした。花の 絵で…。
M：そうでしたか。どんな カーテンにしますか。
F：白で、何も かいていない ものにします。

女の 学生は どの カーテンを 買いますか。

模擬試験 第1回 解答・解説

6ばん　正答2　09 CD1

車の 後ろで、男の 人と 女の 人が 話しています。男の 人は、どの かばんを 取りますか。

M：原さんの かばんは どれ？
F：その 白いの。
M：これ？
F：ううん、その 横の。
M：ああ、これ。けっこう 大きいね。

男の 人は、どの かばんを 取りますか。

ことばと表現

- 後ろ：back ／后面／뒤
  ↔ 前：front, before ／前／앞
- (〜の)横：beside ／旁边／옆
- けっこう：pretty ／很、非常、挺／꽤, 상당히

7ばん　正答3　10 CD1

駅で、女の 人と 駅員が 話しています。女の 人は、何番ホームの 電車に 乗りますか。

F：すみません、1番ホームの 電車は 京都に 行きますか。
M：京都ですか。いえ。1番ホームと 2番ホームは 大阪 行きです。京都に 行くのは、3番と 4番です。
F：3番と 4番ですね。
M：あ、でも、今日は 日曜日ですから、4番ホームの 電車は 京都には 止まりません。
F：そうですか。わかりました。

女の 人は、何番ホームの 電車に 乗りますか。

ことばと表現

- 〜番：number 〜／〜号、第〜／〜번
- △ホーム：platform ／站台／홈
- 〜行き(の電車)：〜に行く(電車)。
- (駅・場所に)止まる：to stop (intr.) ／停／멈추다

問題2（ポイント理解）

れい　正答1　12 CD1

女の 学生と 男の 学生が 話しています。二人は いつ プレゼントを 買いに 行きますか。

F：来週、さくらさんの たんじょう日プレゼントを 買いに 行きませんか。
M：そうですね。5日が たんじょう日ですから、3日か 4日に 行きましょう。
F：あ、ちょっと 待って ください。わたしは 3日と 4日は アルバイトが あります。2日は だめですか。
M：いいですよ。じゃあ、授業が 終わった あとに 行きましょう。

二人は いつ プレゼントを 買いに 行きますか。

ことばと表現

- だめ(な)：no good ／不好的／안됨

1ばん　正答4　13 CD1

郵便局で、女の 人と 郵便局の 人が 話しています。女の 人は いくら 払いますか。

F：80円の 切手を 2枚 ください。
M：80円の 切手を 2枚ですね。160円

です。
F：あ、それから、はがきも ください。
M：何枚ですか。
F：5枚 お願いします。
M：では、はがきが 5枚で 250円ですから、全部で 410円です。
F：じゃあ、これで。ちょうどです。

女の 人は いくら 払いますか。

ことばと表現

- □ 払う：to pay ／支付，付款／지불하다
- □ ～枚：sheet(s) ／～张／～장＝数を表すことば。ほかに紙や皿などに使う。
- □ 全部で：in total ／全部／전부

2ばん 正答2 14 CD1

図書館で、男の 学生と 図書館の 人が 話しています。男の 学生は、本を 何冊 借りましたか。

M：えーと、借りるのは ここで いいですか。
F：はい。
M：お願いします。
F：7冊ですね。…あ、すみません。学生の 方は 5冊までです。
M：え？ …そうですか。
F：ええ。先生は 10冊までですが…。
M：わかりました。じゃ、この 2冊は いいです。

男の 学生は、本を 何冊 借りましたか。

ことばと表現

- □ ～冊：数を表すことば。本やノートなどに使う。
- □ 借りる：to borrow／(借进来)借／빌리다
  ↔ □ 貸す：to lend; to rent ／(借出去)

借给／빌려 주다
- □ 方：人。

3ばん 正答2 15 CD1

女の 人と 男の 人が 話しています。男の 人は、大阪まで 何で 行きましたか。

F：お正月は、どこかへ 行きましたか。
M：大阪の 家へ 帰りました。毎年、正月は 親といっしょに すごします。
F：そうですか。大阪へは 何で 行きますか。
M：今回は バスを 使いました。いつもは 車で 行きますが、少し 疲れていましたから。
F：新幹線や 飛行機は？
M：新幹線は 便利ですが、ちょっと 高くて…。飛行機は、空港が ちょっと 遠いですね。
F：そうですか。

男の 人は、大阪まで 何で 行きましたか。

ことばと表現

- □ 正月：1月。一年の初め。
- □ ～といっしょに：together with ～ ／连同／～와 함께
- □ 過ごす：to spend [time] ／生活、过日子／지내다
- □ 疲れる：to get tired ／疲惫／피곤하다
- □ 新幹線：Shinkansen (bullet train) ／新干线(日本高速列车)／신칸센

4ばん　正答1

女の学生と男の学生が話しています。女の学生は、明日何時ごろ学校へ来ますか。

F：明日のテスト、早いですね。
M：そうですね。9時はちょっと早いですね。
F：田中さんは何時に来ますか。
M：そうですね…テストの10分ぐらい前に来ます。
F：そうですか。私は30分ぐらい前に来て、少し勉強します。
M：そうですか。

女の学生は、明日何時ごろ学校へ来ますか。

ことばと表現

□ ～ごろ / ころ：about ~／～的时候／～ 경
□ ～ぐらい / くらい：around ~／～左右／ ～ 정도

5ばん　正答3

男の学生と女の学生が話しています。二人はいつ映画を見に行きますか。

M：今週、一緒に映画を見に行きませんか。
F：今週はちょっと…。忙しくて。
M：そうですか…。
F：でも、来週は大丈夫ですよ。火曜日か水曜日はどうですか。
M：そうですか。じゃあ、火曜日がいいです。水曜日はバイトがありますから。
F：いいですよ。

二人はいつ映画を見に行きますか。

ことばと表現

□ 今週はちょっと…。：今週は（行くのは）ちょっと難しい（＝行くことができません）。
□ バイト：アルバイト（part-time job／打工／아르바이트）。

6ばん　正答3

男の人と女の人が話しています。女の人は、明日、どこへ行きますか。

M：山田さんは休みの日、何をしますか。
F：そうですね、公園でジョギングしたり、デパートに買い物に行ったりします。
M：そうですか。明日は何をしますか。
F：明日は雨ですから、たぶん、図書館で本を読みます。田中さんは？
M：私は、友だちと映画を見に行きます。
F：そうですか。

女の人は、明日、どこへ行きますか。

ことばと表現

□ ジョギング（する）：jogging／慢跑／조깅

問題3（発話表現）

れい　正答2

M：ご飯を食べます。何と言いますか。
F：1　ごちそうさまでした。
　　2　いただきます。
　　3　じゃ、また。

1ばん　正答1

M：初めて 会う 人に あいさつを します。何と 言いますか。

F：1　山田です。よろしく お願いします。
　　2　山田です。どういたしまして。
　　3　山田です。こちらこそ。

ことばと表現

□ どういたしまして：You're welcome.／不用谢.／천만에요.

□ こちらこそ：(Thank you, nice to meet you etc) too, the pleasure is mine／我才／이쪽이야 말로

2ばん　正答3

F：先生の 部屋に 入ります。何と 言いますか。

M：1　ただいま。
　　2　入りました。
　　3　失礼します。

ことばと表現

□ ただいま：家に 帰った ときに 言う ことば。

3ばん　正答2

M：友だちに おみやげを あげます。何と 言いますか。

F：1　これ、わたしの 国の おかしです。1つ、もらいます。
　　2　これ、わたしの 国の おかしです。1つ、どうぞ。
　　3　これ、わたしの 国の おかしです。1つ、ください。

ことばと表現

□ **おみやげ**：souvenirs／纪念品／선물

4ばん　正答1

F：食堂です。ここに 座りたいです。何と 言いますか。

M：1　ここ、いいですか。
　　2　ここ、座りませんか。
　　3　ここ、座りましょうか。

5ばん　正答1

M：食堂で、友だちと 食べています。塩が ほしいです。何と 言いますか。

F：1　すみません、そこの 塩を 取って ください。
　　2　すみません、そこの 塩を 使いましょうか。
　　3　すみません、この 塩を あげますか。

ことばと表現

□ 塩：salt／盐／소금

□ 〜がほしい：to want 〜／想要〜／〜을 원하다

問題4（即時応答）

れい　正答2

F：コンビニは どこですか。

M：1　買い物です。
　　2　あそこです。
　　3　こちらこそ。

ことばと表現

□ **コンビニ**：convenience store／便利店／편의점

模擬試験 第1回 解答・解説

1ばん　正答3

F：今、何時ですか。
M：1　4月です。
　　2　4日です。
　　3　4時です。

2ばん　正答1

M：田中さんは、大学は どこですか。
F：1　ふじ大学です。
　　2　東京に あります。
　　3　東京駅から 近いです。

3ばん　正答2

M：旅行は どうでしたか。
F：1　京都でした。
　　2　楽しかったです。
　　3　3日間でした。

4ばん　正答1

M：いっしょに 昼ご飯を 食べませんか。
F：1　ええ、いいですね。
　　2　ええ、食べません。
　　3　いえ、食べます。

ことばと表現

☐ いっしょに：together／一起／함께

5ばん　正答3

F：この 薬は ご飯の あとに 飲んで ください。
M：1　はい、そう しましょう。
　　2　はい、お願いします。
　　3　はい、わかりました。

6ばん　正答3

F：この 車、どこのですか。
M：1　赤いのです。
　　2　私のです。
　　3　日本のです。

模擬試験 第2回 解答・解説

正答一覧

言語知識（文字・語彙）

問題1		問題3	
1	4	19	3
2	3	20	4
3	1	21	2
4	3	22	4
5	4	23	2
6	3	24	3
7	3	25	4
8	3	26	4
9	2	27	1
10	2	28	2
問題2		問題4	
11	1	29	1
12	2	30	1
13	4	31	2
14	3	32	3
15	1	33	3
16	4		
17	1		
18	1		

言語知識（文法）・読解

問題1		問題3	
1	4	22	2
2	3	23	2
3	3	24	4
4	1	25	4
5	1	26	3
6	3	問題4	
7	1	27	3
8	4	28	4
9	2	29	2
10	2	問題5	
11	4	30	2
12	1	31	4
13	3	問題6	
14	2	32	1
15	4		
16	1		
問題2			
17	1		
18	1		
19	4		
20	3		
21	2		

聴解

問題1		問題3	
れい	3	れい	2
1	1	1	2
2	1	2	3
3	3	3	1
4	1	4	1
5	4	5	1
6	1	問題4	
7	3	れい	2
問題2		1	3
れい	1	2	3
1	4	3	2
2	4	4	1
3	3	5	2
4	2	6	2
5	1		
6	3		

※ 解説では「言葉と表現」でN5レベルの語を取り上げ、チェックボックス（□）を付けています。説明のために取り上げた一部の難しい語には△を付けています。

言語知識（文字・語彙）

もんだい1

1 正答 4
- 銀行：bank／银行／은행
- ▶銀＝ギン　　例 銀行員
- ▶行＝コウ／いーきます
  - 例 旅行、急行／学校へ行きます。

2 正答 3
- 右：right／右边／오른쪽
- ▶右＝みぎ　例 右側、右手、右足

3 正答 1
- 走ります：to run／跑／달립니다
- ▶走＝はしーります
  - 例 学校まで 走って きました。

4 正答 3
- 北：north／北边, 北方／북
- ▶北＝ホク／きた
  - 例 北海道、北側(north side／北边／북쪽)

5 正答 4
- 暗い：dark／暗、黑暗／어둡다
- ▶暗＝アン／くらーい
  - 例 暗記(memorization／背、背住／암기)、暗い 部屋

6 正答 3
- 父：my father／父亲／아버지
- ▶父＝ちち　　例 父親

7 正答 3
- 十日：10th day／10天／십일
- ▶十＝ジュウ／とお
  - 例 十時、十回、十日
- ▶日→「第1回」**13**

8 正答 3
- 動物：animal／动物／동물
- ▶動＝ドウ／うごーきます
  - 例 自動車／ボタンを 押しましたが、機械が 動きません。
- ▶物＝ブツ／モツ／もの
  - 例 動物園、荷物、食べ物、建物、着物

9 正答 2
- 外：outside／外／외부
- ▶外＝ガイ／そと
  - 例 外国、外国人、家の外

10 正答 2
- 電話：telephone／电话／전화
- ▶電＝デン
  - 例 電車、電気、電池(battery／电池／건

전지)
- ▶話＝ワ／はなし、はなーします
  例 鳥の 世話を します。／おもしろい 話／日本語で 話します。

もんだい2

11 正答 1
- カレンダー：calendar

他のせんたくし／ Other options
□のカタカナについて、「カレンダー」と違うところはどこか、見ましょう。
2 カレ ソ ダー 3 カレ ツ ダー 4 カ ルソ ダー

12 正答 2
- 読みます：to read／読／읽습니다
- ▶読＝よーみます
  例 寝る 前に 本を 読みます。

13 正答 4
- 男：man／男子／남자
- ▶男＝ダン／おとこ
  例 ＊男子トイレ、男の 人、男の 子
  ＊男子：男(の)

14 正答 3
- 人：person／人／사람
- ▶人＝ニン ジン ／ひと
  例 五人、外国人、知らない 人

15 正答 1
- 名前：name／名字／이름
- ▶名＝メイ／な
  例 有名な 店／うちの 犬の 名前は メイです。
- ▶前＝まえ
  例 家の 前、前の 週、5分前

16 正答 4
- 休みます：to rest／休息／쉽니다
- ▶休＝やすーみます
  例 かぜで 学校を 休みました。／月曜日は お店は 休みです。／昼休み、夏休み

17 正答 1
- 書きます：to write／写／씁니다
- ▶書＝かーきます
  例 住所を 書いてください。

18 正答 1
- 小さい：small／小的／작다
- ▶小＝ショウ／ちいーさい
  例 小学校／私の 家は 小さいです。

模擬試験 第2回 解答・解説

もんだい3

19 正答 3

□ **エアコン**：air conditioner ／空調／에어컨
例 エアコンを　つける

他のせんたくし／ Other options

1 エアメール：airmail
　例 エアメールで　送ります。
2 エレベーター：elevator
　例 エレベーターで　10階に　行きます。
4 エスカレーター：escalator
　例 エスカレーターで　降ります。

20 正答 4

□ **こたえます**：to answer／回答／대답하다
例 質問に　答えて　ください。

他のせんたくし／ Other options

1 しめます　例 まどを　閉めます。
2 まちます　例 駅で　友だちを　待ちます。
3 たちます
　例 電車の　中では　いつも　立ちます。

21 正答 2

□ **おります**：to go down ／下来／내려 갑니다
例 階段を　降ります。

他のせんたくし／ Other options

1 かります
　例 友達に　お金を　借りました。
3 たちます
　例 いすに　座っている人は　立って　ください。
4 いきます　例 会社へ　行きます。

22 正答 4

□ **すき(な)**：fond ／喜欢／좋아하는
例 くだものの　中で　イチゴが　一番　好きです。

他のせんたくし／ Other options

1 しずか(な)
　例 この　町は　車が　少なくて　静かです。
2 じょうぶ(な)
　例 この　靴は　10年　はいています。とても　じょうぶです。
3 べんり(な)
　例 スーパーが　近くて　便利です。

23 正答 2

□ **〜まい**：~sheet(s) ／〜张／〜 장 , 개
例 80円　切手を　1枚　ください。

他のせんたくし／ Other options

1 〜だい
　例 テレビを　1台　教室に　置きました。
3 〜グラム
　例 豚肉を　200グラム　ください。
4 〜かい
　例 この　映画は　5回　見ました。

24 正答 3

□ **めがね**：glasses ／眼睛／안경
例 めがねを　かける

他のせんたくし／ Other options

1 くつ　例 新しい　くつを　はきました。
2 かぎ　例 ドアに　かぎを　かけました。
4 でんわ
　例 電話を　かける　ときは、外に　出ます。

2 →「となりの へやの かぎを かけた ひとは～」は○。
4 →「となりで 電話を かけている ひとは～」は○。

25 正答 4

□のみます：to drink ／喝／마십니다
例 ジュースを 飲みます。／かぜの 薬を 飲みます。

他のせんたくし／Other options
1 のります　例 電車に 乗ります。
2 たべます　例 朝食を 食べます。
3 でかけます　例 買い物に 出かけます。

26 正答 4

□まど：window ／窓／창
例 窓を 閉めます。／窓を 開けます。

1 みち　例 夜は 明るい 道を 歩きます。
2 まち　例 町は 夜でも 明るいです。
3 はし　例 橋を 渡ります。

27 正答 1

□ようか⇒八日

28 正答 2

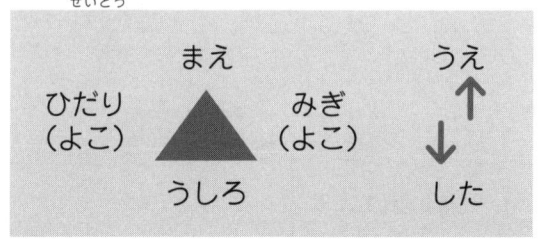

```
         まえ           うえ
ひだり    ▲            ↑
(よこ)   みぎ          ↓
         (よこ)         した
         うしろ
```

もんだい4

29 正答 1

□せんたくします。⇒あらいます。

30 正答 1

□(ものを)かします⇒(ものが)Aから Bに 移る
わたし(A)は たなかさん(B)に かさを かしました。
⇒「かさ」は 「たなかさん」の ところに あります。

31 正答 2

□つとめています⇒はたらいています

32 正答 3

□おばあさん＝おかあさん／おとうさんのおかあさん

33 正答 3

□けさ＝今日の朝

言語知識（文法）・読解

文法

もんだい1

1 正答 4

これ（は）リサさんの 本です。
1 で　2 を　3 に　4 は

□ 〜は

例 ここは 教室です。（主題：theme, topic／主題／주제）

他のせんたくし／Other options

1 公園で サッカーを します。（動作の場所：location of action／动作的场所／동작 장소）
2 ごはんを 食べます。（動作の対象：object of action／动作的对象／동작 대상）
3 教室に テレビが あります。（存在の場所：location of existence／存在的场所／존재 장소）

2 正答 3

「この りょうり、わたしが 作りました。田中さん（も）食べてください。」
「ありがとうございます。」
1 に　2 や　3 も　4 で

□ 〜も

例 今日は 授業が あります。明日も 授業が あります。

他のせんたくし／Other options

1 部屋に 入ります。（帰着点：destination／归着点／귀착점, 도착점［場所］＋に＋Ｖ）
2 スーパーで 野菜や 果物を 買いました。（主な例としてA、Bを挙げる：to give A & B as major examples.／以 A,B 为主要例子／주된 예로서 A,B를 들다）
4 教室で 友だちを 待ちます。（［場所］＋で＋Ｖ）

3 正答 3

わたしたちは きのう、こうえん（を）さんぽしました。
1 に　2 や　3 を　4 の

□ 〜を

例 毎朝、この道を 歩きます。（［場所］＋を＋移動動詞）
※ 移動動詞：通る、散歩する、など

他のせんたくし／Other options

1 友だちに 誕生日プレゼントを もらいました。（〜に〜をもらう）
2 公園や びじゅつかんが あります。（A and B／A or B）
4 これは 私の 本です。（N＋の＋N）

4 正答 1

わたしは 日本語の じしょ（が）ほしいです。
1 が　2 を　3 の　4 に

□ 〜がほしい

例 わたしは 新しい かばんが ほしいです。

他のせんたくし／Other options

2 教室を 出ます。（起点：starting point／起

点／기점, 시작점）

4 わたしは 日曜日、買い物に 行きました。（目的：purpose／目的／목적）

5 正答 1

きょうしつ（に）学生が 5人 います。
1 に　2 を　3 は　4 へ

□ ～に

例 公園に 子どもが います。（存在の場所：location of existence／存在的場所／존재 장소）

他のせんたくし／Other options

2 すきやきを 食べます。（動作の対象：object of action／动作的对象／동작 대상）

3 Aさんは 行きますが、Bさんは 行きません。（対比：comparison, contrast／对比／대비）

4 東京へ 行きます。（方向：direction／方向／방향）

6 正答 3

じゅぎょうは ごご4時（に）終わります。
1 から　2 まで　3 に　4 が

□ ～に

例 毎朝 6時に 起きます。（時を表す）

他のせんたくし／Other options

1、2 授業は 9時から 12時までです。（起点と終点：starting point and final destination／起点和终点／출발점과 종점）

4 わたしは この本が 好きです。

7 正答 1

これは 日本（の）ちずです。
1 の　2 で　3 と　4 か

□ ～の

例 これは 日本語の 本です。（N＋の＋N）

他のせんたくし／Other options

2 かぜで 学校を 休みました。（原因：cause／原因／원인）

3 友だちと 買い物に 行きます。（with A）

4 鉛筆か ボールペンで 書いてください。（A or B）

8 正答 4

「（どれ）が 田中さんの かばんですか。」
「これです。」
1 どこ　2 なに　3 どう　4 どれ

□ どれ

例 リサさんの 本は どれですか。（Which？）

他のせんたくし／Other options

1 どこで 昼ご飯を 食べましたか。（Where？）

2 昼ご飯に 何を 食べましたか。（What？）

3 ことばが わからない とき、どうしますか。（How？）

9 正答 2

「ここで しゃしんを （とらないで）ください。」
1 とらなくて　2 とらないで
3 とらなかって　4 とってなくて

模擬試験 第2回 解答・解説

□ **〜ないでください**

例 教室では、ご飯を 食べないでください。（＝Vナイ＋でください）

他のせんたくし／Other options

1、3、4 どれも「〜ください」の形をつくることができない。

10 正答 2

「よく テレビを 見ますか。」
「いいえ。あまり （見ません）。」

1 見ます　　　2 見ません
3 見ました　　4 見ませんでした

□ **あまり＋「〜ナイ」**

例 私は スポーツが あまり 好きじゃありません。

他のせんたくし／Other options

4 A「…見ますか」→過去（past／过去／과거）のことではない。

11 正答 4

「もう、しゅくだいは おわりましたか。」
「いいえ、まだ （おわっていません）。」

1 おわります　　　2 おわりませんでした
3 おわっています　4 おわっていません

□ **まだ〜ていません**

例 A「もう、この 映画を 見ましたか。」
B「いいえ、まだ 見ていません。」
（未完了：imperfect／未完了／미완료）

12 正答 1

「すてきな とけいですね。」
「ありがとうございます。たんじょう日に 母に （もらいました）。」

1 もらいました　　2 くれました
3 あげました　　　4 やりました

□ **（〜は）〜に 〜を もらいます**

例 わたしは 友だちに おみやげを もらいました。（＝友だち→わたし）

他のせんたくし／Other options

2 母は 私に プレゼントを くれました。（＝母→私）
3 母は 弟に プレゼントを あげました。（＝母→弟）
4 私は 犬に えさを やりました。（＝私→犬）

13 正答 3

子どもが ねていますから、（しずかに）してください。

1 しずか　　　2 しずかな
3 しずかに　　4 しずかで

□ **Na＋に する**

例 部屋を きれいにする。

14 正答 2

ごはんを 食べる（まえに）、手を あらいましょう。

1 の まえに　　2 まえに
3 の あとで　　4 あとで

□ **〜まえに**

例 寝る まえに、本を 読みます。（Vじしょ形＋まえに）

他のせんたくし／Other options
1 テストの　まえに、トイレに　行きます。（N＋の　まえに）
3 おふろの　あとで、ビールを　飲みます。（N＋の　あとで）
4 ご飯を　食べた　あとで、映画に　行きませんか。（Vた形＋あとで）

15 正答 4

けさは　時間が　ありませんでしたから、おべんとうを　（つくりませんでした）。
1 つくります　　2 つくりましょう
3 つくりました　4 つくりませんでした

「けさ」⇒過去（past／过去／과거）⇒Vた形

16 正答 1

「明日　いっしょに　カラオケに　（行きませんか）。」
「いいですね。行きましょう。」
1 行きませんか
2 行きませんでしたか
3 行っていませんか
4 行きましたか

□ ～ませんか
例　今日　いっしょに　カラオケに　行きませんか。（*誘うときの言い方）
＊誘う：to invite

もんだい2

17 正答 1

「先生、テストは　ボールペンで　書きますか。」
「いいえ。₄えんぴつ₃で　₁書いて₂ください。」
⇒いいえ。〈えんぴつで〉書いてください。

18 正答 1

「田中さん₂の　₄家₁に　₃パソコンは　何だい　ありますか。」
「2だい　あります。」
⇒〈［田中さんの　家］に）パソコンは〈何だい〉ありますか。

19 正答 4

「この　本は　どうでしたか。」
「かんじ₃が　₂むずかしくて　₄よく　₁わかりませんでした。」
⇒〈かんじがむずかしくて、〉〈よく〉わかりませんでした。

20 正答 3

「この　近くに、₄やすくて　₁おいしい　₃レストラン₂は　ありませんか。」
「ええ。駅の　前に　ありますよ。「フラワー」と　いう　レストランです。」
⇒〈この　近くに、〉［〈やすくて〉〈おいしい〉レストラン］は　ありませんか。

模擬試験 第2回 解答・解説

[21] 正答 2

「カルロスさんの 国₃から ₄日本 ₂まで ₁ひこうきで 何時間 かかりますか。」
「8時間ぐらい かかります。」
⇒〈[カルロスさんの国]から[日本]まで〉〈ひこうきで〉何時間かかりますか。

もんだい3

[22] 正答 2

□〜で
例 トマトは 5つで 300円です。
（[数]＋で＋〜円）

[23] 正答 2

□それから
例 きのうは 本を 読んで、それから 宿題を しました。（A それから B ＝ A...and then B／Aをして、つぎにBをする）

他のせんたくし／Other options

1→ふじホテルは きれいです。でも、駅から 遠いです。(A でも B ＝ A... but B／Aです。しかし、Bです。)
3→さくらホテルは 広いです。それに、駅から 近いです。(A それに B ＝ A... and also B／AだけでなくBも)
4→では、わたしは そろそろ 帰ります。（＝じゃあ）

[24] 正答 4

理由「雨でした」⇒結果「行きませんでした」。
※過去（past／过去／과거）→「〜でした」。

[25] 正答 4

□〜は／が（わたしに）〜を くれる
例 友だちが わたしに 本を くれました。（友だち⇒わたし）

他のせんたくし／Other options

1、3→わたしは 友だちに 本を あげました。（わたし⇒友だち）
2→Vふつう形＋N

[26] 正答 3

□〜に
例 映画を 見に 行きます。（目的：purpose／目的／목적　Vます形＋に＋行きます／来ます）

読解

もんだい4（短文）

(1)「大阪へ行きます」

27 正答 3

ここがポイント

「弟が大阪に住んでいますから、会いに行きます」から、答えは3。

(2)「デパートへ行きます」

28 正答 4

ここがポイント

「(〜が) スカートを買いました。」「シャツも買いました。」から答えは4。「いつもズボンをはきますが…買いました。」⇒ズボンではなく、スカートを買った。

(3)「明日はパーティー」

29 正答 2

ここがポイント

「ジュースとお茶はこれから買いに行きます」なので、答えは2。

他のせんたくし／ Other options

1 → きのうは、おはしや紙のコップを買った。
3 → 明日の朝は、ケーキを作る。
4 → 明日の12時までに、あきこさんが来る。

もんだい5

「ベトナム料理」

30 正答 2

ここがポイント

「田中さんは、昔ベトナムに住んでいたことがありますから」から、答えは2。

他のせんたくし／ Other options

4 → 田中さんは、久しぶりに作った。毎日ではない。

31 正答 4

ここがポイント

「来週の31日は母のたんじょう日〜ベトナムりょうりを作ります。」から、答えは4。

他のせんたくし／ Other options

1 → 先週の日曜日に行った。
2 → 来年、ベトナムへ旅行に行きたい。
3 → レストランのことは、書いていない。

もんだい6

「スポーツクラブ」

32 正答 1

ここがポイント

「週2回行く」「仕事は午後6時半まで」から。

模擬試験 第2回 解答・解説

他のせんたくし／Other options

2（テニス）→週3回×、午後6時半から×。
3（ダンス）→午後6時から×。
4（ゴルフ）→土よう日×（絵の教室がある）。

ことばと表現

□ **スポーツクラブ**：sports club／体育倶乐部／헬스클럽
□ **すいえい**：swimming／泳／수영

聴解（ちょうかい）

もんだい1（課題理解）

れい　正答3　【03 CD2】

家で、女の人が男の人と話しています。女の人は、男の人に何を出しますか。

F：今日は　寒いですね。温かい　ものを　飲みませんか。
M：ありがとうございます。
F：コーヒー、こうちゃ、あと、お茶も　ありますけど。
M：じゃ、こうちゃを　お願いします。
F：さとうや　ミルクは　入れますか。
M：あ、はい。

女の人は、男の人に何を出しますか。

ことばと表現

- □寒い：cold (weather) ／冷／춥다
- □温かい：warm ／暖和的／따뜻하다
  - 例 温かいベッド
  - ↔ □冷たい：cold ／冷的／차갑다
- □ミルク：ぎゅうにゅう。コーヒーなどに入れるものはミルクという。

1ばん　正答1　【04 CD2】

デパートで、男の人と店の人が話しています。男の人は、どこへ行きますか。

M：あのう、すみません。お手洗いは　どこですか。
F：お手洗いは　あちらの　階段の　横に　ございます。
M：かばん売り場の　むこうですね。
F：ええ。
M：わかりました。どうも。

男の人は、どこへ行きますか。

ことばと表現

- □お手洗い：トイレ。
- □階段：staircase／楼梯／계단
- □(〜の)横：beside／旁边／옆
- □〜にございます。：〜にあります。
- □むこう：over there／対面／건너편

2ばん　正答1　【05 CD2】

教室で、先生が話しています。学生は、はじめにどのページを開けますか。

F：今から　日本語の　テストを　します。テストは　全部で　4ページ　あります。1ページは　聞く　問題です。2ページから　4ページは　書く　問題で、4ページには　漢字の　問題も　あります。はじめに　聞く　問題を　します。時間は　10分です。では、問題を　開けてください。

学生は、はじめにどのページを開けますか。

ことばと表現

- □ぜんぶで：in total／全部／전부
- □問題：question／问题／문제
- □はじめに：first, first of all／首先／우선
- □開ける：to open／打开／펴다，열다

模擬試験 第2回 解答・解説

3ばん 正答3　06 CD2

学校で、女の 学生と 男の 学生が 話して います。女の 学生は どの 先生の ところへ 行きますか。

F：山田さん、この 紙は、書いたあと、どの 先生に 出しますか。
M：田中先生ですよ。
F：田中先生？ 男の 先生ですか。女の 先生ですか。
M：男の 先生です。めがねを かけていて、背が 高い 先生です。
F：そうですか。じゃ、あとで 田中先生の ところに 持っていきます。

女の 学生は どの 先生の ところへ 行きますか。

ことばと表現

☐ 出す：to hand in ／发出／보내다
☐ めがねをかける：to put on glasses ／戴眼镜／안경을쓰다
☐ 背が高い：tall ／个儿高／키가 크다
　↔ ☐ 背が低い：short (stature) ／个儿矮／키가 작다
☐ 持っていく：to take ／拿去／가지고 가다

4ばん 正答1　07 CD2

店で、女の 人と 男の 人が 話しています。男の 人は、どの ハンカチを 買いますか。

F：山田さんの 娘さんの 誕生日プレゼント、ハンカチに しませんか。
M：ああ、いいですね。
F：この ピンクの 花のは どうですか。女の 子は 好きだと 思いますよ。ああ こっちの くだものが いろいろ かいてあるのも、かわいいですね。
M：どっちも いいですね。…あ、これは どうですか。山田さんの 家、犬が 2匹 いますよね。
F：ええ。ちょうど これと 同じですよ。黒いのと 白いのです。いいですね、これに しましょう。
M：じゃ、買ってきますね。

男の 人は、どの ハンカチを 買いますか。

ことばと表現

☐ 娘：daughter ／女儿／딸
☐ ～さん：人を指すときのていねいな言い方（= a polite way to say when to refer to someone ／指人时客气的说法／사람을 가리킬 때의 정중한 말투）。
　例 お子さん（＝子どもさん）、お客さん
☐ ～と思います。：I think that ~. ／觉得～、认为～／～라고 생각합니다
☐ どっちも：どちらも。
☐ ～と同じ：same as ~ ／跟～一样／～과 같음

5ばん 正答4　08 CD2

学校で、先生と 学生が 話しています。学生は、いすを どう 並べますか。

F：明日 この 教室で スピーチコンテストを しますから、いすを 並べて ください。
M：はい。どう 並べますか。
F：横に 6つ、縦に 8つ、並べて ください。
M：横に 6つ、縦に 8つですね。わかりました。

学生は、いすを どう 並べますか。

ことばと表現

- □ スピーチコンテスト：speech contest ／演讲大赛／스피치 콘테스트
- □ 並べる：to line up ／排列／늘어 놓다
- □ 横(の)：side, width, horizontal ／旁边／옆
- □ 縦(の)：longitudinal, vertical ／纵／세로

6ばん 正答1 　09 CD2

病院で、病院の 人と 女の 人が 話して います。女の 人は どこに 座りますか。

M：山田さん。
F：はい。
M：じゃあ、名前を 呼びますから、それまで、あそこの いすで ちょっと 待っていて ください。
F：あの 窓の そばの ソファーですか。
M：ええ、そうです。

女の 人は どこに 座りますか。

ことばと表現

- □ そば：近く。
- □ ソファー：sofa ／沙发／소파

7ばん 正答3 　10 CD2

学校で、男の 学生と 学校の 人が 話して います。男の 学生は 何時 ごろに もう一度 来ますか。

M：すみません、山田先生は いますか。
F：いえ、まだ 来ていませんが…。
M：そうですか。何時ごろに 来ますか。
F：もうすぐ 来ますよ。10時から 授業が ありますから。
M：そうですか。あのう… 次の 11時からの 授業も ありますか。
F：いえ、午前中は その 授業だけです

から、また、ここに 戻ってきますよ。
M：わかりました。じゃ、授業が 終わる ころ、また 来ます。

男の 学生は 何時 ごろに もう一度 来ますか。

ことばと表現

- □ 〜ごろ／ころ：about 〜 ／〜的时候／〜경
- □ もうすぐ：very soon ／快／이제 곧
- □ 戻ってくる：to return, be back ／回来／돌아 오다

もんだい2（ポイント理解）

れい 正答1 　12 CD2

女の 学生と 男の 学生が 話して います。二人は いつ プレゼントを 買いに 行きますか。

F：来週、さくらさんの たんじょう日プレゼントを 買いに 行きませんか。
M：そうですね。5日が たんじょう日ですから、3日か 4日に 行きましょう。
F：あ、ちょっと 待って ください。わたしは 3日と 4日は アルバイトが あります。2日は だめですか。
M：いいですよ。じゃあ、授業が 終わった あとに 行きましょう。

二人は いつ プレゼントを 買いに 行きますか。

ことばと表現

- □ だめ(な)：no good ／不好的／안됨

模擬試験 第2回　解答・解説

1ばん　正答 4　(13 CD2)

男の人と女の人が話しています。女の人のたんじょう日はいつですか。

M：きれいな　花ですね。
F：ええ、たんじょう日に　友だちに　もらいました。
M：へえ。いつですか。
F：おとといです。11日です。
M：そうですか。…えっ、じゃあ、1が　4つ　並びますね。
F：ええ、そうですよ。

女の人の　たんじょう日は　いつですか。

ことばと表現

- □ もらう：to get (from somebody) ／領,拿／받다
  - ↔ あげる：to give (to someone) ／给／주다
- □ 並ぶ：to stand in line ／站队／늘어서다

2ばん　正答 4　(14 CD2)

大学で、男の学生と女の学生が話しています。二人は、どこで食べますか。

M：山田さん、お昼、いっしょに　食べませんか。
F：いいですよ。
M：じゃあ、学生食堂が　新しくなったから、行きませんか。
F：そうですねえ…。でも、今日は　天気が　いいから、外で　食べたいです。朝から　ずっと、教室の　中に　いましたから。
M：じゃあ、お店で　パンか　お弁当を　買って、さくら公園まで　行きましょうか。
F：ええ、そう　しましょう。

二人は、どこで　食べますか。

ことばと表現

- □ お昼：昼ご飯。
- □ ずっと：all the time ／一直／쭉
- □ (お)弁当：packed lunch ／便当／도시락

3ばん　正答 3　(15 CD2)

レストランで、女の人と店の人が話しています。女の人は、何を食べますか。

F：すみません、これは　とり肉ですか。
M：いえ、こちらは　ぶた肉でございます。
F：そうですか。これは？
M：こちらは　魚です。
F：そうですか…。あのう、とり肉の　料理は　ありませんか。
M：はい。…こちらです。
F：じゃ、これを　お願いします。

女の人は、何を　食べますか。

ことばと表現

- □ とり肉：chicken ／鸡肉／닭고기
- □ ぶた肉：pork ／猪肉／돼지고기
- □ ～でございます。：～です。
- □ 魚：fish ／鱼／생선

解答・解説

4ばん　正答2　[16 CD2]

大学で、男の学生と女の学生が話しています。明日のパーティーに、先生は何人来ますか。

M：明日のクラスのパーティーには、全部で何人くらい来ますか。
F：えーと、来ない人が3人いますから、全部で24人です。
M：そうですか。先生たちも来ますか。
F：ええ。山田先生と田中先生が来ます。
M：川島先生は？
F：川島先生は来ないと言っていました。
M：そうですか。

明日のパーティーに、先生は何人来ますか。

ことばと表現

□ ～たち：人などの複数形を表す。
（= to explain plural form such as a human／解释复数形式，诸如人／사람 등의 복수형을 나타내다）

例 男の人たち

□ ～と言っていました。：said ～／说了～／～라고 했습니다

5ばん　正答1　[17 CD2]

男の人と女の人が話しています。明日の午後、女の人はどこへ行きますか。

M：明日の午後、いっしょに映画を見に行きませんか。
F：すみません。明日はちょっと…。
M：忙しいですか。
F：ええ。午前は、病院へ行ったり、荷物を出しに郵便局へ行ったりします。午後は、山田先生の授業のレポートを書きます。月曜日に出しますから。
M：え？　そのレポート、出すのは金曜日までですよ。
F：本当ですか!?　じゃ、わたしも映画を見に行きたいです。
M：じゃ、行きましょう。

明日の午後、女の人はどこへ行きますか。

ことばと表現

□ （～は）ちょっと…。：誘いなどを柔らかく断るときの言い方。
（= a way to say no softly to invitations and so on／拒绝邀请时的委婉说法／권유 등을 부드럽게 거절할 때의 말투）

□ 荷物を出す：to send a package／拿出行李／짐을 보내다

□ 本当：true／真的／정말

6ばん　正答3　[18 CD2]

パーティーで、男の人と女の人が話しています。女の人は、何を飲みますか。

M：あ、山田さん、飲み物がありませんね。何を飲みますか。ビールとワイン、あと、ジュースとお茶がありますけど。
F：あのう、コーヒーはありませんか。
M：うーん、コーヒーはありませんねえ。
F：そうですか。温かいものはありませんか。
M：…ああ、温かいお茶はできますよ。
F：そうですか。じゃ、それをお願いします。

模擬試験 第2回 解答・解説

女の 人は、何を 飲みますか。

> ことばと表現

□ 飲み物：drink ／饮料／음료
   → 食べ物：food ／食物／음식
□ できる：作ることができる。

もんだい3（発話表現）

れい　正答2　[21 CD2]

M：ご飯を 食べます。何と 言いますか。
F：1　ごちそうさまでした。
　　2　いただきます。
　　3　じゃ、また。

1ばん　正答2　[22 CD2]

F：ねます。ほかの 人に 何と 言いますか。
M：1　おつかれさま。
　　2　おやすみなさい。
　　3　また 明日。

> ことばと表現

□ ほか：other ／其它／그 밖에
□ おつかれさま。：You must be tired after working so hard. (ritualistic expression) ／辛苦了／수고하셨습니다＝会社などで、仕事が終わったときに使うことば。
□ また明日。：See you tomrrow. ／明天见。／또 내일.

2ばん　正答3　[23 CD2]

F：学校へ 出かけます。家族に 何と 言いますか。
M：1　失礼します。
　　2　今、行きます。
　　3　行ってきます。

> ことばと表現

□ 出かける：to go out ／出去，出门／외출하다
□ 失礼します。：部屋に入るときや部屋を出るときに使うことば。

3ばん　正答1　[24 CD2]

F：電車に 乗ります。東京まで 何分で 行くか 聞きたいです。何と いいますか。
M：1　どのぐらい かかりますか。
　　2　いくらですか。
　　3　いま 何時ですか。

4ばん　正答1　[25 CD2]

F：タクシーの 中です。どこへ 行きたいか、言います。何と 言いますか。
M：1　近くの 駅まで、お願いします。
　　2　近くの 駅まで、行きます。
　　3　近くの 駅まで、来て ください。

5ばん　正答1　[26 CD2]

M：きっさてんに います。コーヒーを 飲みたいです。何と いいますか。
F：1　コーヒーを お願いします。
　　2　コーヒーを 取って ください。
　　3　コーヒーが あります。

もんだい4（即時応答）

れい　正答2　[28 CD2]

F：コンビニは　どこですか。
M：1　買い物です。
　　2　あそこです。
　　3　こちらこそ。

1ばん　正答3　[29 CD2]

M：あの　方は　どなたですか。
F：1　とても　親切な　人です。
　　2　いいえ、違います。
　　3　山田先生です。

ことばと表現

□ あの方：あの人。

2ばん　正答3　[30 CD2]

F：お父さんは　おいくつですか。
M：1　ええ、そうです。
　　2　50枚です。
　　3　50歳です。

ことばと表現

□ （お）いくつですか。：何さいですか。
□ ～枚：sheet(s)／～张／～장　数を表すことば。紙や皿など、うすいものに使う。

3ばん　正答2　[31 CD2]

M：日本料理は　何が　好きですか。
F：1　おいしいです。
　　2　てんぷらが　好きです。
　　3　ときどき　食べます。

ことばと表現

□ 好き（な）：fond／喜欢／좋아하는
　↔ □ きらい（な）：dislikable; to dislike／讨厌的／싫어하는
□ ときどき：sometimes／有时,偶尔／가끔

4ばん　正答1　[32 CD2]

F：窓を開けましょうか。
M：1　ええ、お願いします。
　　2　ええ、開けますね。
　　3　いえ、開けてください。

5ばん　正答2　[33 CD2]

F：すみません、オレンジジュースを　お願いします。
M：1　けっこうです。
　　2　かしこまりました。
　　3　はい、おいしいです。

ことばと表現

□ けっこうです。：That would be fine.／That wouldn't be necessary.／可以．／不用了．／됐습니다．／괜찮습니다．
□ かしこまりました。：Certainly.／知道了．／알았습니다．

6ばん　正答2

M：会社まで　何で　行きますか。
F：1　とても　遠いです。
　　2　バスで　行きます。
　　3　9時に　行きます。

模擬試験 第3回 解答・解説

正答一覧

言語知識（文字・語彙）

問題1
1	1
2	2
3	4
4	4
5	3
6	3
7	3
8	4
9	4
10	4

問題2
11	4
12	2
13	1
14	3
15	1
16	2
17	4
18	1

問題3
19	2
20	2
21	1
22	3
23	3
24	1
25	3
26	2
27	4
28	4

問題4
29	4
30	1
31	2
32	4
33	4

言語知識（文法）・読解

問題1
1	1
2	2
3	4
4	1
5	4
6	3
7	1
8	2
9	4
10	4
11	2
12	2
13	1
14	2
15	2
16	2

問題2
17	2
18	4
19	4
20	2
21	2

問題3
22	3
23	4
24	1
25	2
26	4

問題4
27	4
28	1
29	4

問題5
30	3
31	2

問題6
32	4

聴解

問題1
れい	3
1	3
2	1
3	3
4	3
5	2
6	4
7	1

問題2
れい	1
1	3
2	3
3	3
4	2
5	4
6	3

問題3
れい	2
1	1
2	1
3	1
4	3
5	1

問題4
れい	2
1	2
2	2
3	1
4	1
5	3
6	3

※ 解説では「言葉と表現」でN5レベルの語を取り上げ、チェックボックス（□）を付けています。説明のために取り上げた一部の難しい語には△を付けています。

言語知識（文字・語彙）

もんだい1

1 正答 1
- **10年**：ten years ／十年／ 10년
- ▶ **年** = ネン／とし
  例 2015年、新しい年／お年は いくつですか。

2 正答 2
- **先**：tip, point ／先、首先／ 먼저
- ▶ **先** = セン／さき
  例 先生、先週／すみません、先に 行きます。

3 正答 4
- **茶色**：brown ／茶色的／ 갈색
- ▶ **茶** = チャ、サ　　例 お茶、喫茶店
- ▶ **色** = いろ
  例 明るい 色、黄色の ボタン

4 正答 4
- **毎日**：every day ／毎天／ 매일
- ▶ **毎** = マイ　例 毎回、毎年、毎週
- ▶ **日** → 第1回 ③

5 正答 3
- **白い**：white ／白色的／ 하양, 하얗다
- ▶ **白** = しろ、しろーい
  例 白ワイン、白い 車

6 正答 3
- **大切（な）**：precious; valuable ／重要的／ 소중한
- ▶ **大** = ダイ、タイ／おおーきい
  例 大学、大変な 仕事、大きい 皿
- ▶ **切** = セツ／きーります
  例 親切な 人、切符、切手／ケーキを 切ります。

7 正答 3
- **小学生**：elementary school student ／小学生／ 초등학생
- ▶ **小** = ショウ／ちいーさい
  例 小さい かばん
- ▶ **学** = ガク　例 学校、学生、大学生
- ▶ **生** = セイ　例 先生、生徒

8 正答 4
- **名前**：name ／名／ 이름
- ▶ **名** = メイ／な　例 有名な 人、学校名
- ▶ **前** = ゼン／まえ
  例 午前、家の 前、前の 日

9 正答 4
- **明るい**：bright ／明亮的／ 밝다

- ☐ ▶明＝あかーるい
  - 例 明るい 部屋 ↔暗い

10 正答4

- ☐ 上着：jacket or other outer garment／上衣, 外套／상의
- ☐ ▶上＝ジョウ／うえ
  - 例 彼は 英語が 上手です。／机の 上に メモが あります。
- ☐ ▶着＝きーます
  - 例 シャツを 着ます。／着物

もんだい2

11 正答4

- ☐ タクシー：㊀taxi から。

他のせんたくし／Other options

☐ のカタカナについて、「タクシー」と違うところはどこか、見ましょう。
1 ク<u>ク</u>シー　2 タク<u>ソ</u>ー　3 <u>ク</u>タンー

12 正答2

- ☐ 見ます：to see; to look at; to watch／看／봅니다
- ☐ ▶見＝ケン／みーます
  - 例 意見(opinion)／意见／의견／映画を 見ます。

13 正答1

- ☐ 百：hundred／百／백
- ☐ ▶百＝ヒャク
  - 例 毎日 百万人の 人が この 駅を 使っています。

他のせんたくし／Other options

2 白→5
3 日→第1回　3
4 自＝ジ　例 自転車、自動車(＝車)

14 正答3

- ☐ 行きます：to go／去／갑니다
- ☐ ▶行＝コウ／いーきます
  - 例 旅行、急行／学校へ 行きます。

15 正答1

- ☐ 長い：long／长的／길다
- ☐ ▶長＝ながーい
  - 例 田中さんは、髪(hair)が 長いです。

16 正答2

- ☐ 天気：weather／天气／날씨
  - 例 今日は 天気が いい(↔悪い)。
- ☐ ▶天＝テン
- ☐ ▶気＝キ
  - 例 電気、空気(air)、気持ち(feeling)

17 正答4

- ☐ かようび：Tuesday／星期二／화요일
- ☐ ▶火＝カ／ひ
  - 例 マッチで 火(fire)を つけます。

18 正答1

- ☐ 母：my mother／母亲／어머니
- ☐ ▶母＝はは　　例 母親

模擬試験 第3回 解答・解説

もんだい3

19 正答 2

□ **ハンカチ**：英 handkerchief から。

他のせんたくし／Other options
1 プール：英 pool から。
　例 プールで 泳ぎます。
3 スピーチ：英 speech から。
4 トイレ：英 toilet から。／トイレに 入ります。

20 正答 2

□ **わたります**：to cross／过,渡过／건넙니다
　例 橋を 渡ります。

他のせんたくし／Other options
1 いきます　例 会社へ 行きます。
3 わかります
　例 彼は 漢字が 少し わかります。
4 ならびます
　例 二人 並んで 歩きました。

21 正答 1

□ **はります**：to paste／貼／붙입니다
　例 この 紙を 壁に 貼って ください。

他のせんたくし／Other options
2 きります　例 髪を 切りました。
3 とります
　例 すみません、その 赤い かさを 取って ください。
4 やります
　例 きのうは 遅くまで 仕事を やりました。

22 正答 3

□ **かわいい**：cute／可愛的／귀엽다
　例 かわいい 猫ですね。

他のせんたくし／Other options
1 からい　例 タイの 料理は 辛いです。
2 あたらしい
　例 新しい 住所を 教えてください。
4 うすい
　例 秋に 着る 薄い 上着を 買いました。

23 正答 3

□ **グラム**：英 gram から。

他のせんたくし／Other options
1 だい
　例 車／自転車／テレビ／カメラ／机が ～台 あります。
2 メートル：英 meter から。
　例 ここから 駅まで 200メートル ぐらいです。
4 ページ：英 page から。
　例 テキストの 50ページを 開けて ください。

24 正答 1

□ **こうばん**：police box／派出所／파출소
　例 交番で 道を 聞きました。

他のせんたくし／Other options
2 としょかん
　例 図書館で 本を 借ります。
3 だいどころ
　例 台所で 料理を 作ります。
4 おてあらい
　例 すみません、お手洗いは どこですか。

25 正答 3

□ **おしえます**：to teach／教／가르칩니다
例 お店の 場所を 教えて ください。

他のせんたくし／ Other options

1 はなします　例 母と 電話で 話しました。
2 おきます　例 毎朝 7時に 起きます。
4 とびます　例 鳥が 飛んでいます。

26 正答 2

□ **かさを さします。**：to open an umbrella／打伞／우산을 씁니다

他のせんたくし／ Other options

1 スカート　英 skirt から
例 スカートを はきます。
3 コート　英 coat から
例 コートを 着ます。
4 ぼうし　例 ぼうしを かぶります。

27 正答 4

□ **ふたつ**：二つ
例 アイスクリームを 二つ ください。

他のせんたくし／ Other options

1、2→「～ほん」で 数える もの：ペン、フォーク、バナナ、かん(can)・びん(bottle)、かさ、ネクタイ
3→「～つ」で 数える もの：ぼうし、ポケット、ドア、窓、ボタン、かぎ、パスワード(password)

28 正答 4

□ **うしろ**：back／后面／뒤
例 わたしの 前は 山田さんで、後ろは 田中さんです。

他のせんたくし／ Other options

1 となり
例 となりの 家の 人は とても 親切です。
2 まえ
例 家の 前に 公園が あります。
3 よこ
例 本だなの 横に ソファーを 置きます。

もんだい4

29 正答 4

□ **きらいです。** ＝すきではありません。

30 正答 1

□ **おととい**＝きのうの 1日前の 日 ⇒ 二日前

31 正答 2

□ **おばさん**＝「おとうさん」の「おねえさん」か「いもうと」
「(三つ)うえ」⇒おねえさん

32 正答 4

□ **まずいです。** ＝おいしくないです。

33 正答 4

□ **ちょっと** ≒ 少し

言語知識（文法）・読解

文法

もんだい1

1 正答1

ここは 田中さん（の） うちです。
1 の　2 に　3 を　4 へ

□ ～の

例 これは わたしの 本です。(N＋の＋N)

他のせんたくし／Other options
2 教室に テレビが あります。(存在の場所：location of existence／存在的場所／존재 장소)
3 ごはんを 食べます。(動作の対象：object of action／动作的对象／동작 대상)
4 東京へ 行きます。(方向：direction／方向／방향)

2 正答2

わたしは まいにち ひとり（で） ごはんを たべます。
1 と　2 で　3 を　4 が

□ ～で

例 友だちと 二人で 映画を 見ました。([人数]＋で)

他のせんたくし／Other options
1 友だちと 買い物に 行きます。(with~)
3 道を 歩きます。([場所]＋を＋＊移動動詞) ＊移動動詞：通る、行く
4 部屋に 机が あります。(存在：existence／存在／존재)

3 正答4

東京まで バス（で） 行きます。
1 を　2 に　3 て　4 で

□ ～で

例 自転車で 学校へ 行きます。(手段：means, instrument／手段／수단)

他のせんたくし／Other options
1 教室を 出ます。(from~)
2 部屋に 入ります。(帰着点：destination／归着点／귀착점, 도착점)
3 わたしは 歩いて 学校へ 行きます。(「Ｖて形＋V」状態：state, situation, condition／状态／상태)

4 正答1

「すみません。トイレ（は） どこに ありますか。」
「あそこです。」
1 は　2 と　3 に　4 へ

□ ～は

例 山田さんは どこに いますか。(「～は」＋疑問詞：question words／疑问词／의문사 question words＋V＋「か」)

他のせんたくし／Other options
2 友だちと 買い物に 行きます。(with A)
3 わたしは きのう 買い物に 行きました。(目的：purpose／目的／목적)
4 東京へ 行きます。(方向：direction／方向／방향)

5 正答 4

いえの　前（で）　家ぞくと　写真を　とりました。

1 に　　2 が　　3 へ　　4 で

□ ～で

例 公園で　サッカーを　します。（動作の場所：location of action／动作的场所／동작 장소）

6 正答 3

のどが　かわきましたから、水が（のみたいです）。

1 のみます　　　　2 のみました
3 のみたいです　　4 のまないです

□ ～を／が～たい

例 お腹が　すきましたから、ご飯が　食べたいです。（「Vます形＋～たい」願望：wish／愿望／희망）

他のせんたくし／Other options

1 水が（→を）　飲みます。

7 正答 1

「うちから　会社まで（どのくらい）かかりますか。」
「30分　かかります。」

1 どのくらい　　2 どう
3 いつ　　　　　4 いくら

□ どのくらい

例 毎晩　どのくらい　勉強していますか。（How much/long …?）

他のせんたくし／Other options

2 ことばが　わからないとき、どう　しますか。（how?）
3 いつ　日本へ　来ましたか。（when?）
4 この　リンゴは　いくらですか。（how much?）

8 正答 2

父は　毎朝　コーヒーを（のみ）ながら、新聞を　読みます。

1 のむ　　　　2 のみ
3 のんで　　　4 のまない

□ ～ながら

例 テレビを　見ながら、ごはんを　食べます。（「Vます形＋ながら」AとBを両方、同じ時にする。）

9 正答 4

「こたえが（わからない）ときは、わたしに聞いて　ください。」
「はい。」

1 わかったの　　2 わかって
3 わかりません　4 わからない

□ ～とき

例 困ったときは、連絡して　ください。（Vふつう形＋とき）

他のせんたくし／Other options

1「Vた形＋のとき」、2「Vて形＋とき」、3「Vません＋とき」の形は、どれも間違い。

10 正答 4

これは　わたしが　きのう（買った）くつです。

1 買います　　2 買う
3 買いました　4 買った

模擬試験 第3回 解答・解説

□ (……)N

例 これは 父に もらった 時計です。
（[V、Aなどのふつう形]＋N）

★ Na、Nの「〜だ」→「〜な」「〜の」

例 きれい、最初→きれいな花、最初の授業

11 正答 2

きのうは 宿題が たくさん ありましたから、どこへも （行きませんでした）。
1 行きました　　2 行きませんでした
3 来ました　　　4 来ませんでした

□ 〜から

仕事が 忙しいですから、サッカーの 練習が できません。（理由：reason／理由／이유）

12 正答 2

わたしは くだものが 好きです。リンゴや ミカン（など）を よく 食べます。
1 も　2 など　3 と　4 ぐらい

□ 〜など

例 わたしは サッカーや 野球などの スポーツが 好きです。（主な例をあげる：to give main examples／显示主要的例子／주된 예를 들다）

他のせんたくし／Other options

1 今日は 授業が あります。明日も 授業が あります。（also 〜／〜也／〜도）
4 わたしは 毎晩 2時間ぐらい 勉強します。（about 〜／大约〜、〜左右／〜정도）

13 正答 1

よく きこえませんから、ラジオの おとを おおきく （しました）。
1 しました　　2 なりました
3 ありました　4 おきました

□ A＋くします

例 うるさいですから、テレビの 音を 小さくしました。（意志を持って変化させる：to change something purposefully／有意志改变／의지를 가지고 변화시키다）

14 正答 2

「きのうの ばんから ずっと 雨が （ふっています）ね。」
「ええ。そとへ 出ることが できませんね。」
1 ふります　　　　2 ふっています
3 ふりませんでした　4 ふりましょう

□ 〜ている

例 朝から ずっと 雨が ふっています。
（「Vている」 その状態がつづいている：The state continues／其状态持续／그 상태가 지속하다）

15 正答 2

「田中さん、（こちら）は キムさんです。」
「はじめまして。キムです。」
「田中です。どうぞ よろしく。」
1 これ　2 こちら　3 この　4 ここ

□ こちらは〜です

例 こちらは リサさんです。（人を紹介するときの言い方）

16 正答 2

「すみませんが、ちょっと てつだって くださいませんか。」
「(ええ、いいですよ)。」
1 ありがとうございます
2 ええ、いいですよ
3 いいえ、けっこうです
4 どうも

「OK です」という意味を表すのは 2。

他のせんたくし／ Other options
3 必要ないからことわるときの言い方。
4 「ありがとうございました」の簡単な言い方。

もんだい 2

17 正答 2

「田中さんは まだ ₃教室₁に ₂います₄か。」
「いいえ、もう 帰りました。」
→ 田中さんは《〈まだ〉教室に》いますか。

18 正答 4

「このくつは ちょっと 大きいです。₃もう少し ₂小さい₄の₁は ありませんか。」
「では、こちらは いかがでしょうか。」
→〈[〈もう少し〉小さいの]はありませんか。

19 正答 4

「きょう₂の ₁しゅくだい₄は₃もう おわりましたか。」
「いいえ、まだです。」
→[〈きょうの〉しゅくだい]は〈もう〉おわりましたか。

20 正答 2

「スポーツ₃の₁中₂で ₄何が いちばん 好きですか。
「サッカーが いちばん 好きです。」
→〈[スポーツの中]で〉〈何がいちばん〉すきですか。

21 正答 2

「リサさんは ₁ことば₃が ₂わからない ₄とき、どう しますか。」
「辞書で 調べます。」
→ リサさんは〈[ことばがわからない]とき〉、〈どう〉しますか。

もんだい 3

22 正答 3

「本」はわたしのたんじょう日プレゼント（＝母がわたしにプレゼントした）。

23 正答 4

「とてもおもしろい本」→「全部読んだ」→ また「はじめから読んだ」。

24 正答 1

寝るまえに、よくその本を読みました。
（V じしょ形＋まえに）

他のせんたくし／ Other options
2 おふろに 入ったあとで、ビールを のみます。（V た形＋あとで）

模擬試験 第3回 解答・解説

3 手を あらってから、ご飯を 食べます。（Vて形＋から）

4 子どもが 寝ているあいだに、そうじを しました。（Vている形＋あいだに）

25 正答2

妻が（わたしに）ネクタイをくれました。

26 正答4

「妻の誕生日に」「わたしも…」→（わたしから妻に）→「あげたい」。

読解

もんだい4

「休みの日」

27 正答4

ここがポイント

「休みの日はたいていそうじやせんたくをします」から、答えは4。

他のせんたくし／Other options

1 → 毎日すること。
2、3 → 休みの日にしたいこと。

「家族の写真」

28 正答1

ここがポイント

1. 男のきょうだいは、上が兄、下が弟。※女のきょうだいは、上が姉、下が妹。
2. 場所を表すことば

後ろ
となり ☺ となり
前

ことばと表現

□ あに：elder brother ／哥哥／오빠
□ となり：next ／旁边／옆
□ おとうと：younger brother ／弟弟／동생

「田中さんからのメモ」

29 正答4

ここがポイント

「あとで読んでください」から、答えは4。

他のせんたくし／Other options

1 → 「会社へ行く」ことは、書いていない。
2 → 「林さんはこれからずっとかいぎ」⇒（林さんに）電話はできない。
3 → 「メールを書く」ことは、書いていない。

ことばと表現

□ かいぎ：meeting ／会议／회의

もんだい5

「いちばんの友だち」

30 正答3

ここがポイント

「青木さんとわたしはたんじょう日がおなじ」から、答えは3。

他のせんたくし／Other options

1 → 「大学のクラス」のことは、書いていない。
2 → 「好きなうた」のことは、書いていない。
4 → 「住んでいるところが近い」と言っているが、アパートが同じとは言っていない。

模擬試験 第3回 解答・解説

31 正答 2

ここがポイント

「(青木さんは) 英語のうたはとても上手です。」から、答えは2。

他のせんたくし／Other options

1 → 歌は上手だが、「話すのが上手かどうか」はわからない。
3 → 「先生になりたい」と言っているが、「教えるのが上手」とは言っていない。

ことばと表現

- □ たんじょう日：birthday ／一个生日／생일
- □ カラオケ：karaoke ／卡拉OK ／노래방
- □ 両方：both ／两／둘 다
- □ さびしい：lonely ／寂寞／외로운

もんだい6

「どのえいがを見ますか」

32 正答 4

ここがポイント

「お昼まで授業」→午後のえいが
「午後4時から午後9時までアルバイト」
→「午後4時までに終わる」えいが

ことばと表現

- □ アルバイト：part-time job ／兼职工作／아르바이트
- □ えいがかん：theater ／电影院／영화관

聴解（ちょうかい）

問題1（課題理解）

れい　正答3　[03 CD3]

家で、女の人が男の人と話しています。女の人は、男の人に何を出しますか。

F：今日は　寒いですね。温かい　ものを　飲みませんか。
M：ありがとうございます。
F：コーヒー、こうちゃ、あと、お茶も　ありますけど。
M：じゃ、こうちゃを　お願いします。
F：さとうや　ミルクは　入れますか。
M：あ、はい。

女の人は、男の人に何を出しますか。

ことばと表現

- □寒い：cold (weather) ／冷／춥다
- □温かい：warm ／暖和的／따뜻하다
  - 例　温かいベッド
  - ↔ □冷たい：cold ／冷的／차갑다
- □ミルク：ぎゅうにゅう。コーヒーなどに入れるものはミルクという。

1ばん　正答3　[04 CD3]

男の人と女の人が話しています。男の人は、女の人とどこで会いますか。

M：明日、この　パーティーに　一緒に　行きませんか。
F：ああ、いいですね。行きましょう。
M：じゃあ、明日、どこで　会いましょうか。さくらデパートは　わかりますか。
F：いえ…。
M：そうですか。じゃあ、みどりやま駅の　中の　本屋は　どうですか。
F：ああ、わかります。
M：じゃあ、そこで。

男の人は、女の人とどこで会いますか。

2ばん　正答1　[05 CD3]

男の人と女の人が話しています。男の人は、女の人と何時に会いますか。

M：にちよう日の　コンサートは　何時からですか。
F：午後2時からです。何時に　会いましょうか。
M：お昼を　一緒に　食べてから　行きませんか。
F：そうですね。じゃあ、12時半に　駅の　前で　どうですか。
M：そうですね…。ゆっくり　食べたいですから、あと　30分　早く　しませんか。
F：いいですよ。じゃあ、そう　しましょう。

男の人は、女の人と何時に会いますか。

ことばと表現

- □（お）昼：昼ご飯。

3ばん　正答3　06 CD3

教室で、男の学生と女の学生が話しています。男の学生は女の学生に何を買いますか。

M：さくらさん、今日は お弁当？
F：うん。今日は 久しぶりに 作ってきた。
M：そう。じゃ、ぼくは コンビニで パンを 買って来るよ。飲み物は 大丈夫？
F：ああ、じゃ、お茶を お願い。
M：わかった。お菓子は いらない？
F：うん、お菓子は いい。ありがとう。

男の学生は女の学生に何を買いますか。

ことばと表現

- コンビニ：convenience store／便利店／편의점
- お願い：お願いします。ここでは「買ってきてください」の意味。
- いる：to need／要，需要／필요하다
- ～はいい：～はいらない。

4ばん　正答3　07 CD3

先生と男の学生が話しています。男の学生は何を持ちますか。

M：先生、荷物、多いですね。持ちましょうか。
F：ああ、ありがとう。じゃあ、この かばんを。
M：全部 持ちますよ。
F：小さいのは 大丈夫です。軽いですから。
M：じゃあ、その 紙袋を 持ちましょうか。
F：そうですか。じゃあ。

男の学生は何を持ちますか。

ことばと表現

- 荷物：luggage／货物／짐
- 紙袋：paper bag／纸袋／종이 봉투

5ばん　正答2　08 CD3

教室で、先生が話しています。学生は、明日、何を持っていきますか。

F：明日は、朝、有名な 古い 建物を 見て、午後、ふじ公園へ 行きます。建物を 見たあと、近くの レストランで お昼を 食べますから、お弁当は いりません。でも、飲み物は 用意して ください。明日も とても 暑いですから。それから、明日 行く 建物の 中では、写真を とることが できません。けいたい電話も だめです。注意して ください。

学生は、明日、何を持っていきますか。

ことばと表現

- 建物：building／建筑物／건물
- お昼：昼ご飯。
- けいたい電話：cellphone／手机／휴대전화
- 注意(する)：warning, caution／注意／주의

6ばん　正答4　09 CD3

店で、女の人と男の人が話しています。女の人は何を買いますか。

F：山田さんへの おみやげ、何に しますか。
M：あの チョコレートは どうですか。

けっこう 有名ですよ。
F：でも 彼女、甘い 物は あまり 食べないと 言っていました。お茶は どうですか。ほら、これです。
M：ああ、いいですね。
F：それか、絵はがき。…あ、手帳も きれいですね。わたしが ほしいです。
M：きれいですね。でも、使うかどうか、わからないから、さっきのに しませんか。
F：そうですね。

女の 人は 何を 買いますか。

ことばと表現

□それか：or ／或者／또는
□絵はがき：postcard ／明信片／그림엽서
□さっきの：さっき話したの / もの。

7ばん　正答 1　　　10 CD3

電話で、女の 人と 男の 人が 話しています。女の 人は 何で 図書館へ 行きますか。

F：もしもし、今 みなとまち駅に 着きました。今から 図書館へ 行きます。
M：そうですか。雨が 降っていますから、バスが いいですよ。私も、いつもは 自転車ですが、今日は 歩いて 行きます。たぶん、2時くらいに 着きます。
F：わかりました。そう します。

女の 人は 何で 図書館へ 行きますか。

問題 2（ポイント理解）

れい　正答 1　　　12 CD3

女の 学生と 男の 学生が 話しています。二人は いつ プレゼントを 買いに 行きますか。

F：来週、さくらさんの たんじょう日プレゼントを 買いに 行きませんか。
M：そうですね。5日が たんじょう日ですから、3日か 4日に 行きましょう。
F：あ、ちょっと 待って ください。わたしは 3日と 4日は アルバイトが あります。2日は だめですか。
M：いいですよ。じゃあ、授業が 終わった あとに 行きましょう。

二人は いつ プレゼントを 買いに 行きますか。

ことばと表現

□アルバイト：part-time job ／兼職工作／아르바이트

1ばん　正答 3　　　13 CD3

男の 人と 女の 人が 話しています。男の 人は、みなと町駅まで 何分で 行きますか。

M：ここから みなと町駅まで、何分 かかりますか。
F：そうですね。ふじ駅まで 歩いて 20分です。それから、電車で 10分です。
M：そうですか、結構 かかりますね。ふじ駅に 行く バスは ありませんか。
F：ありますよ。ここから 5分 くらいで 着きます。そうしたら、15分ですね。

M：じゃあ、バスで 行きます。

男の 人は、みなと町駅まで 何分で 行きますか。

2ばん 正答3

女の 学生と 男の 学生が 話しています。男の 学生は、何を 買いましたか。

F：山田さん、先生への プレゼント、買いましたか。
M：田中さんと 買いに 行ってきましたよ。
F：何に しましたか。
M：はじめは、ネクタイか 帽子が いいと 思いましたけど、ペンに しました。毎日 使うものが いいと 思って。
F：いいと 思いますよ。じゃあ、花は 私が あとで 買っておきますね。
M：ええ。

男の 学生は、何を 買いましたか。

ことばと表現

□ **〜ておく**：to keep 〜／事先准备〜、事先做好〜／〜 해 두다

3ばん 正答3

大学で、先生と 女の 学生が 話しています。女の 学生は、何曜日に 働いていますか。

M：さくらさんは、アルバイトを していますか。
F：はい。コンビニで アルバイトを しています。
M：いつ 仕事を していますか。
F：月曜日と 水曜日の 夜です。
M：週に 2回ですか。
F：はい。前は 土曜日や 日曜日も やっていましたが、忙しくなりましたから、二日に しました。

女の 学生は 何曜日に 働いていますか。

ことばと表現

□ **アルバイト**：part-time job／打工／아르바이트

□ **コンビニ**：convenience store／便利店／편의점

4ばん 正答2

女の 人と 男の 人が 話しています。男の 人は、今度の 日曜日、誰と 出かけますか。

F：今度の 日曜日は、何を しますか。
M：あさくさに 行きます。
F：いいですね。誰と 行きますか。
M：妹と 二人です。
F：へえ。妹さんとですか。いいですね。私も 弟が いますが、二人で 出かけたりしません。
M：最初は 母も 行くと 言っていましたけど、用事が できて、二人で 行きます。
F：そうですか。わたしはその日は姉と 買い物です。

男の 人は、今度の 日曜日、誰と 出かけますか。

ことばと表現

□ **用事**：errand／事、事情／일

5ばん　正答4　17 CD3

病院で、病院の　人と　男の　人が　話して
います。男の　人は、次、いつ　来ますか。

F：じゃ、今日は　これで　終わりです。
来週　もう一度　来て　ください。い
つが　いいですか。

M：ええと、火曜日の　午前は　どうです
か。

F：ごめんなさい、火曜日の　午前は　空
いていないですね。

M：そうですか…。木曜日の　午後は　ど
うですか。

F：大丈夫ですよ。じゃ、来週の　木曜日
ですね。お大事に。

M：どうも。

男の　人は、次、いつ　来ますか。

ことばと表現

- □終わり：end ／结束，完了／끝
- □もう一度：one more time ／再来一次／한번 더
- □空く：to be vacant, available ／空、有空位／비다。席や予約などについて言う（= used as to the availability of seats or reservation／用于预约座位，预约等时说／자리나 예약 등에 대해 말하다）
- □大丈夫：It is okay. ／没关系／괜찮다
- □お大事に。：病気の人に「体を大事にしてください」という意味で使うことば。

6ばん　正答3　18 CD3

会社で、男の　人が　話しています。男の
人は、最近、何の　スポーツを　よく　し
ていますか。

M：はじめまして。田中です。私の　しゅ
みは、スポーツを　する　ことです。
学生の　ころは、サッカーと　野球を
よく　しました。最近は、週に　3～
4回　プールに　行って、泳いでいま
す。先週は、新しい　くつを　買いま
した。それを　はいて、来週から
ジョギングを　始めます。

男の　人は　最近　よく　何の　スポーツ
を　していますか。

ことばと表現

- □しゅみ：hobby, pastime ／兴趣，爱好／취미
- □〜のころ：〜のとき、〜だったとき。
- □ジョギング（する）：jogging ／慢跑／조깅

問題3（発話表現）

れい　正答2　21 CD3

M：ご飯を　食べます。何と　言いますか。

F：1 ごちそうさまでした。
　2 いただきます。
　3 じゃ、また。

1ばん　正答1　22 CD3

F：友だちに　ペンを　貸します。何と
言いますか。

M：1 これ、使って　ください。
　2 これ、借りましょう。
　3 これ、持っています。

模擬試験 第3回 解答・解説

2ばん　正答1　23 CD3

M：家に　帰りました。家族に　何と　言いますか。

F：1 ただいま。
　　2 お帰りなさい。
　　3 行ってきます。

ことばと表現

□ ただいま。：I'm home. ／我回来了. ／다녀왔습니다.

□ お帰りなさい。：Welcome home. ／你回来了(欢迎回家). ／어서 오세요.

□ 行ってきます。：I'll go and come back. ／我去了. ／다녀 오겠습니다.

3ばん　正答1　24 CD3

M：テーブルの　上の　チョコレートを　1つ　もらいます。何と　言いますか。

F：1 1つ、いいですか。
　　2 1つ、お願いします。
　　3 1つ、どうぞ。

ことばと表現

□ どうぞ。：Here it is. ／请／부디(권하는 말).

4ばん　正答3　25 CD3

M：店に　お客さんが　来ました。何と　言いますか。

F：1 お願いします。
　　2 お元気で。
　　3 いらっしゃいませ。

ことばと表現

□ お元気で。：Take care then. ／您保重了. ／안녕히 계세요.

□ いらっしゃいませ。：Welcome (to our store) ／欢迎光临. ／어서 오세요.

5ばん　正答1　26 CD3

F：コーヒーを　飲むか　聞きます。何と　言いますか。

M：1 コーヒーは　いかがですか。
　　2 コーヒーを　お願いします。
　　3 コーヒーが　飲みたいです。

ことばと表現

□ ～はいかがですか。：～はどうですか。

問題4（即時応答）

れい　正答2　28 CD3

F：コンビニは　どこですか。

M：1 買い物です。
　　2 あそこです。
　　3 こちらこそ。

ことばと表現

□ コンビニ：convenience store ／便利店 ／편의점

1ばん　正答2　29 CD3

M：今日、いっしょに　勉強しませんか。

F：1 はい、いっしょに　行きます。
　　2 そう　しましょう。
　　3 毎日　勉強しています。

2ばん　正答2　(30 CD3)

F：田中さんは　どの　人ですか。
M：1　はい、そうです。
　　2　めがねを　かけている　人です。
　　3　会社員です。

3ばん　正答1　(31 CD3)

M：明日、カラオケに　行きませんか。
F：1　明日は　ちょっと…。
　　2　明日が　いいですね。
　　3　ええ、行きません。

ことばと表現

□カラオケ：karaoke／卡拉ok／노래방

4ばん　正答1　(32 CD3)

M：先週の　日曜日、どこかへ　行きましたか。
F：1　どこも　行きませんでした。
　　2　駅は　あそこですよ。
　　3　ええ、行きましょう。

5ばん　正答3　(33 CD3)

F：京都へ　行った　ことがありますか。
M：1　いいえ、行かないで　ください。
　　2　はい、ぜひ　行きたいです。
　　3　はい、去年　行きました。

6ばん　正答3　(34 CD3)

M：こんにちは。おじゃまします。
F：1　こちらこそ。
　　2　失礼します。
　　3　どうぞ。

ことばと表現

□おじゃまします。：だれかの家などに入るときに使うことば。
□失礼します。：部屋に入るときや部屋を出るとき、先に帰るときなどに使う。
Used when entering or leaving a room, or taking one's leave ahead of others.／用于进房间、出房间，或者先回去的时候。／방에 들어 갈 때나, 방을 나올 때, 먼저 돌아 갈 때 등에 사용한다.

模擬試験の採点表
Score Sheet／评分表／채점표

配点は、この模擬試験で設定したものです。実際の試験では公表されていませんが、各科目の合計得点の目安が示されているので、それに基づきました。「基準点＊の目安」と「合格点の目安」も、それぞれ実際のものを参考に設定しました（下記）。

基準点…　言語知識（文字・語彙・文法）＋読解＝38点（得点の範囲：0～120点）、聴解＝19点（得点の範囲：0～60点）
合格点…　80点（得点の範囲：0～180点）

＊基準点：得点がこれに達しない場合、総合得点に関係なく、それだけで不合格になる。

★合格可能性を高めるために、80点以上の得点を目指しましょう。
★基準点に達しない科目があれば、重点的に復習しましょう。

● 言語知識（文字・語彙・文法）／読解

大問	配点	満点	第1回 正解数	第1回 得点	第2回 正解数	第2回 得点	第3回 正解数	第3回 得点
言語知識（文字・語彙）								
問題1	1点×10問	10						
問題2	1点×8問	8						
問題3	1点×10問	10						
問題4	1点×5問	5						
言語知識（文法）								
問題1	1点×16問	16						
問題2	1点×5問	5						
問題3	1点×5問	5						

読解

大問	配点	満点						
問題4	4点×3問	12						
問題5	4点×2問	8						
問題6	4点×1問	4						
合計		83						
（基準点の目安）				(27)		(27)		(27)

●聴解

大問	配点	満点	第1回		第2回		第3回	
			正解数	得点	正解数	得点	正解数	得点
問題1	3点×7問	21						
問題2	3点×6問	18						
問題3	2点×5問	10						
問題4	1点×6問	6						
合計		55						
（基準点の目安）				(18)		(18)		(18)

	第1回	第2回	第3回
総合得点	／138	／138	／138
（合格点の目安）	(62)	(62)	(62)

🔊 如何下载音频

STEP 1 进入产品页面！有 3 种方法可以下载！
- 扫描二维码访问。
- 通过输入 https://www.jresearch.co.jp/book/b282494.html 访问。
- 访问 J Research Publishing 网站（https://www.jresearch.co.jp/）在"キーワード（关键字）"中输入书名进行搜索。

STEP 2 点击页面上的「音声ダウンロード」(语音下载) 按钮！

STEP 3 输入用户名"1001"和密码"21412"！

STEP 4 有两种使用语音的方法！ 选择适合您的学习方式收听！
- 从"一次性下载所有音频文件"下载并收听文件。
- 按 ▶ 按钮即可现场播放和收听。

※ 您可以在计算机或智能手机上收听下载的音频文件。下载的音频文件以 .zip 格式压缩。请解压文件使用。如果文件不能顺利地解压，也可以直接播放音频。

● 音频下载咨询 ● **toiawase@jresearch.co.jp** (受理时间：平日 9:00～18:00)

🔊 음성 다운로드 방법

STEP 1 상품 페이지로 이동！다음 세 가지 방법으로！
- QR 코드를 스캔해서 들어간다．
- https://www.jresearch.co.jp/book/b282494.html 를 입력해서 들어간다．
- 제이 리서치　출판 (J리서치출판) 의 홈페이지 (https://www.jresearch.co.jp/) 에 들어가서「キーワード（키워드）」에 서적명을 넣어 검색．

STEP 2 페이지 안에 있는「音声ダウンロード」버튼을 클릭！

STEP 3 유저명「1001」, 비밀 번호「21412」를 입력！

STEP 4 음성 이용　방법은 다음 2 가지！학습 스타일에 맞는 방법을 선택하여 들으시기 바랍니다．
- 「음성 파일 일괄 다운로드」에서 파일을 다운로드해서 듣는다．
- ▶버튼을 눌러 바로 재생해서 듣는다．

※ 다운로드한 음성 파일은 컴퓨터・스마트폰 등으로 들을 수 있습니다．일괄 다운로드 음성 파일은 zip 형식으로 압축되어 있습니다．풀어서 사용해 주십시오．파일이 잘 풀리지 않을 경우에는 직접 음성 재생을 누르면 들을 수 있습니다．

● 음성 다운로드에 대한 문의처 ● **toiawase@jresearch.co.jp** (접수 시간 평일 : 9 시~ 18 시)

合格への直前チェック
試験に出る重要語句・文型リスト

List of Important Words/Phrases and Sentence-structures for the Test
考试出现的重要词句・句型表
시험에 나오는 중요 어구・문형 리스트

◆「文字・語彙」のポイント
　STEP1　「N5」レベルのかんじ
　STEP2　注意したい「N5」レベルのことば

◆「文法」のポイント 60

試験に出る
重要語句・文型リスト

「文字・語彙」のポイント

STEP 1　N5レベルのかんじ

漢字の形に注意して、おぼえましょう。

※ 漢字の読みは、N5レベルか、N5に近いレベルです。難しい読みは入れていません。

数 (Number／数／숫자)			
□ 一	one	イチ ひと、ひと‐つ	例 一月、一部屋、一人 　　いちがつ　ひとへや　ひとり
□ 二	two	ニ ふた、ふた‐つ	例 二月、二部屋、二人 　　にがつ　ふたへや　ふたり
□ 三	three	サン みっ‐つ、みっ	例 三月 　　さんがつ
□ 四	four	シ よ‐つ、よっ‐つ、よん	例 四月 　　しがつ
□ 五	five	ゴ いつ、いつ‐つ	例 五月 　　ごがつ
□ 六	six	ロク む‐つ、むっ‐つ、むい	例 六月 　　ろくがつ
□ 七	seven	シチ なな、なな‐つ、なの	例 七月 　　しちがつ
□ 八	eight	ハチ や‐つ、やっ‐つ、よう	例 八月 　　はちがつ
□ 九	nine	ク、キュウ ここの‐つ、ここの	例 九月 　　くがつ
□ 十	ten	ジュウ とお	例 十月 　　じゅうがつ
□ 百	hundred	ヒャク	例 百円（¥100） 　　ひゃくえん
□ 千	thousand	セン	例 千円（¥1,000） 　　せんえん
□ 万	ten thousand	マン	例 一万円（¥10,000） 　　いちまんえん

時間 (Time ／时间／시간)

☐ 年	year	ネン / とし	例 来年（らいねん）、一年間（いちねんかん）
☐ 月	month	ゲツ、ガツ / つき	例 今月（こんげつ）、先月（せんげつ）、1か月（げつ）、正月（しょうがつ）
☐ 日	day	ニチ、ジツ / ひ、か	例 毎日（まいにち）、昨日（きのう）、平日(weekday)（へいじつ）、休日（きゅうじつ）、朝日（あさひ）
☐ 週	week	シュウ	例 今週（こんしゅう）、来週（らいしゅう）、先週（せんしゅう）
☐ 時	hour	ジ / とき	例 8時に食べる（じ／た）
☐ 間	between	カン、ケン / あいだ	例 時間（じかん）、夏休みの間（なつやす／あいだ）
☐ 分	minute, divide	フン、ブン / わ-かる	例 1分（いっぷん）、2分（にふん）、自分（じぶん）、英語が分かる（えいご／わ）
☐ 半	half	ハン	例 1時半、半分（じはん／はんぶん）
☐ 今	now, present	コン / いま	例 今夜、今回のテスト、今のアパート（こんや／こんかい／いま）
☐ 毎	every	マイ	例 毎日、毎週、毎月、毎年、毎回、毎朝（まいにち／まいしゅう／まいつき／まいとし／まいかい／まいあさ）
☐ 午	noon	ゴ	例 午前、午後、正午（ごぜん／ごご／しょうご）

曜日 (A day of the week ／星期／요일)

☐ 月	Monday	ゲツ	例 月曜日（げつようび）
☐ 火	Tuesday	カ	例 火曜日（かようび）
☐ 水	Wednesday	スイ	例 水曜日（すいようび）
☐ 木	Thursday	モク	例 木曜日（もくようび）
☐ 金	Friday	キン	例 金曜日（きんようび）
☐ 土	Saturday	ド	例 土曜日（どようび）

試験に出る 重要語句・文型リスト

| □ | 日 | Sunday | ニチ | 例 | 日曜日(にちようび) |

人 (Person /人/사람)
ひと

□	人	person	ジン、ニン / ひと	例	日本人(にほんじん)、人数(にんずう)(＝人(ひと)の数(かず))、人(ひと)(people)が多(おお)い、人(ひと)(someone)に聞(き)く
□	男	man	おとこ	例	男(おとこ)の人(ひと)(man)
□	女	woman	おんな	例	女(おんな)の人(ひと)(woman)
□	子	child	こ	例	子供(こども)(child, children)、女(おんな)の子(こ)(girl, little girl)

学校 (School /学校/학교)
がっこう

□	学	learn	ガク / まな-ぶ	例	大学(だいがく)(university)
□	校	school	コウ	例	小学校(しょうがっこう)(primary school)、中学校(ちゅうがっこう)(junior high school)、高校(こうこう)(high school)
□	先	tip, ahead	セン / さき	例	先(さき)に帰(かえ)る、1キロ先(さき)(＝あと1キロ)、1か月先(げっさき)(＝あと1か月(げつ))
□	生	live	セイ / い-きる、う-まれる、う-む	例	学生(がくせい)、先生(せんせい)、子(こ)どもが生(う)まれる、(～が)子(こ)どもを生(う)む

家族 (Family /家人/가족)
かぞく

| □ | 父 | father | ちち | ※「お父(とう)さん」はあとから漢字(かんじ)にしたもの |
| □ | 母 | mother | はは | ※「お母(かあ)さん」はあとから漢字(かんじ)にしたもの |

場所 (Position, Direction /場所, 方向/장소, 방향)
ばしょ

□	上	up, on	うえ、うわ、あ-がる、のぼ-る	例	机(つくえ)の上(うえ)、上着(うわぎ)、ねだんが上(あ)がる、手(て)を上(あ)げる、かいだんを上(のぼ)る
□	中	in, middle	チュウ / なか	例	中学校(ちゅうがっこう)、電話中(でんわちゅう)、今月中(こんげつちゅう)、部屋(へや)の中(なか)
□	下	down, under	ゲ / した、さ-がる	例	下宿(げしゅく)、机(つくえ)の下(した)、ねだんが下(さ)がる

文字・語彙

☐ 外	outside	ガイ そと	例 外国、外国人、へやの外 　　がいこく　がいこくじん　　　　　そと
☐ 前	before, front	ゼン まえ	例 前回、前の授業、2時5分前、 　　ぜんかい　まえ　じゅぎょう　じ　ふんまえ 　　1時間前、授業の前、寝る前、 　　じかんまえ　じゅぎょう　まえ　ね　まえ 　　店の前 　　みせ　まえ
☐ 後	after, behind	ゴ あと、うし-ろ	例 1時間後、授業の後、食べた後、 　　じかんご　じゅぎょう　あと　た　あと 　　車の後ろ 　　くるま　うし
☐ 左	left	ひだり	例 左手、左にまがる 　　ひだりて　ひだり
☐ 右	right	みぎ	例 右手、右にまがる 　　みぎて　みぎ
☐ 東	east	トウ ひがし	例 駅の東側、東京 　　えき　ひがしがわ　とうきょう
☐ 西	west	にし	例 駅の西側 　　えき　にしがわ
☐ 南	south	みなみ	例 駅の南口 　　えき　みなみぐち
☐ 北	north	きた	例 駅の北口 　　えき　きたぐち

天気（Weather／天气／날씨）			
☐ 天	heaven	テン	
☐ 気	air	キ	例 天気、気持ち(feeling) 　　てんき　きも
☐ 雨	rain	あめ	例 雨が降る 　　あめ　ふ
☐ 空	sky, empty	クウ そら、あ-く	例 空気、青い空、いすが空く 　　くうき　あお　そら　　　　　あ

色（Colors／颜色／색）			
☐ 白	white	しろ、しろ-い	例 白いシャツ 　　しろ

試験に出る 重要語句・文型リスト

形容 (Description／形容／형용)

□ 大	big	ダイ / おお-きい	例 大学、大きいスプーン
□ 小	small	ショウ / ちい-さい	例 小学校、小さいスプーン
□ 高	high	コウ / たか-い	例 高校、高い山、高い服
□ 長	long	チョウ / なが-い	例 長時間、長いスカート
□ 多	many, much	おお-い	例 この本は写真が多いです。
□ 少	few, little	すく-ない	例 この本は漢字が少ないです。
□ 新	new	シン / あたら-しい	例 新年、新しいくつ
□ 古	old	ふる-い	例 古い映画
□ 安	cheap	やす-い	例 安い部屋

動作 (Motion, Movement／行为／动作／동작)

□ 行	go, do	コウ / い-く	例 旅行、東京へ行く
□ 来	come	ライ / く-る (き-ます)	例 来週／バスが来ました。
□ 食	eat	ショク / た-べる	例 朝食、昼食、夕食、ごはんを食べます
□ 飲	drink	の-む	例 コーヒーを飲みます、飲み物
□ 話	talk, speak, story	ワ / はな-す、はなし	例 電話、日本語を話す、静かに話す、おもしろい話
□ 立	stand	た-つ	例 ここに立ってください。
□ 見	look, see	み-る	例 テレビを見ます
□ 入	go in, put in	はい-る / い-れる	例 部屋に入ります、コーヒーに砂糖を入れます

	漢字	意味	読み	例
☐	出	go out, attend, post, send out, hand in, serve	で-る、だ-す	部屋を出ます、パーティーに出ます、はがきを出します、荷物を出します、レポートを出します、お茶を出します
☐	言	say	い-う、こと	名前を言います、言葉
☐	聞	hear, listen	ブン、き-く	新聞、話を聞きます、道を聞きます
☐	読	read	よ-む	本を読みます
☐	書	write	か-く	名前を書いてください。
☐	休	rest	やす-む、やす-み	1時間休みます。／明日、会社を休みます。／休みの日はいつも何をしますか。／昼休み、夏休み
☐	買	buy	か-う	パンを買います、買い物

体（Body／身体／몸）

	漢字	意味	読み	例
☐	口	mouth	くち	医者「口を大きく開けてください。」／駅の東口
☐	耳	ear	みみ	風が冷たくて、耳が痛いです。
☐	手	hand	て	右手、左手
☐	足	foot, leg	あし	くつが小さくて、足が痛いです。
☐	目	eye	め	目が少し疲れています。

その他（Others／其他／기타）

	漢字	意味	読み	例
☐	電	electricity	デン	電気、電話
☐	車	car	シャ、くるま	電車、車に乗ります

試験に出る 重要語句・文型リスト

	漢字	意味	読み	例
☐	名	name	メイ / な	例 有名な建物、名前
☐	友	friend	とも	例 友だち
☐	川	river	かわ	例 川を渡ります
☐	山	mountain	サン / やま	例 富士山、きれいな山
☐	何	what	なに、なん	例 何を食べますか。／それは何と言いますか。
☐	本	book	ホン	例 本を読みます
☐	国	country	くに	例 国に帰ります
☐	語	language	ゴ	例 日本語、英語
☐	道	way	みち	例 広い道↔細い道 ※「太い道」とは言わない。
☐	駅	station	えき	例 駅で会います
☐	花	flower	カ / はな	例 花びん、花が咲きます
☐	魚	fish	さかな	例 魚が泳いでいます。
☐	会	meet	カイ / あ-う	例 友だちに会います、たんじょう日会
☐	社	company, society	シャ	例 会社、社長
☐	店	store	テン / みせ	例 喫茶店、店長、有名な店

※上記見出し漢字は『日本語能力試験出題基準』（国際交流基金・日本国際教育支援協会　凡人社刊）を参考にしました。

STEP 2 注意したい「N5」レベルのことば

用例

あ～お

	語	意味	用例
☐	開く（あ/ひら）	to be open ／开／열리다	ドアが開きます。／10時に店が開きます。
☐	開ける（あ）	to open ／打开／열다	窓を開けてください。
☐	遊ぶ（あそ）	to play, to visit a friend ／玩耍／놀다	子どもが公園で遊んでいます。
☐	暑い（あつ）	hot (weather) ／热／덥다	暑い夜
☐	厚い（あつ）	thick ／厚的／두껍다	厚いコート／カーテン
☐	アパート	apartment ／公寓, 公共住宅／목조아파트	アパートを借りる
☐	浴びる（あ）	to take (shower) ／浇, 淋, 浴／끼얹다	シャワーを浴びる
☐	危ない（あぶ）	unsafe; dangerous ／危险的／위험하다	危ない場所
☐	甘い（あま）	sweet ／甜的／달다	甘いおかし
☐	あまり～ない	not much ／不太…(接否定)／コ지 없다	あまり大きくありません。
☐	洗う（あら）	to wash ／洗／씻다	お皿を洗いました。
☐	いかが	how (polite expression of どう) ／怎么样／어떠하심	コーヒーはいかがですか。
☐	痛い（いた）	hurt; painful ／疼／아프다	足が痛いです。
☐	意味（いみ）	meaning ／意思／의미	この言葉の意味を教えてください。
☐	いや（な）	bad, hateful ／讨厌／싫은	この店はいやです。
☐	入口（いりぐち）	entrance ／入口／입구	店の入口
☐	要る（い）	to need ／要, 需要／필요하다	入るとき、お金は要りますか。
☐	入れる（い）	to put ～ in ／装到, 放进／넣다	カバンに本を入れました。
☐	いろいろ	various; different kinds of ／各种各样的／여러가지	いろいろな本があります。
☐	薄い（うす）	weak, thin, bland ／淡的、薄的／얇다, 흐리다	薄い本
☐	売る（う）	to buy ／卖／팔다	ここは、お酒も売っています。
☐	うるさい	noisy; annoying ／吵闹／시끄럽다	テレビの音がうるさいです。
☐	お～	a prefix used when saying politely ／使用客气语气说话时单词前常加上 "お" ／정중하게 말할 때 붙이는 말	お店、お茶
☐	大勢（おおぜい）	crowd, great numbers ／很多／사람이 많음	大勢の人
☐	置く（お）	to put ～ on ／放／두다	机の上に置きました。
☐	奥さん（おく）	someone's wife (polite) ／夫人／부인	田中さんの奥さん
☐	（お）皿（さら）	plate; dish ／盘子, 碟子／접시	
☐	押す（お）	to press ／按／누르다	ボタンを押してください。

83

試験に出る 重要語句・文型リスト

	語句	意味	例文
☐	お手洗い（てあらい）	restroom ／卫生间／화장실	お手洗いはどこですか。
☐	おととし	the year before last ／前年／재작년	おととし日本へ来ました。
☐	おなかがすく	to become hungry ／肚子饿／배가 고프다	おなかがすきました。
☐	同じ（おなじ）	same ／一样的／같음	同じ色（いろ）
☐	（お）弁当（べんとう）	packed lunch ／便当／도시락	お弁当を持ってきました。
☐	覚える（おぼえる）	to remember, memorize ／记住／외우다	場所を覚えてください。
☐	重い（おもい）	heavy ／重的，沉重的／무겁다	重い荷物
☐	おもしろい	interesting ／有意思,有趣儿／재미있다	おもしろい本
☐	（お）湯（ゆ）	hot water ／热水／뜨거운 물	お湯を入れる
☐	泳ぐ（およぐ）	to swim ／游泳／헤엄치다	海で泳ぎました。
☐	降りる（おりる）	to fall (rain, snow, etc) ／（雨，雪等）下，降，落。／내리다	次の駅で電車を降ります。

か～こ

	語句	意味	例文
☐	階段（かいだん）	stairs ／楼梯／계단	階段を上る
☐	かかる	to take ／需要／걸리다	東京まで3時間かかります。
☐	かける①	to lock ／锁上／걸다, 잠그다	かぎをかけます。
☐	かける②	to put on (glasses) ／戴(眼镜)／쓰다(안경을)	めがねをかけます。
☐	貸す（かす）	to lend ／借给～／빌려주다	友だちにCDを貸しました。
☐	風邪（かぜ）	cold ／感冒／감기	風邪を引きました。
☐	角（かど）	corner ／角落、拐角／구석	角の店、角を曲がる
☐	辛い（からい）	spicy, hot ／辣的／맵다	辛い料理
☐	軽い（かるい）	light ／轻, 轻的／가볍다	軽い荷物
☐	木（き）	wood ／木、木制的／나무	
☐	消える（きえる）	to come off ／消失／꺼지다	電気が消えました。
☐	汚い（きたない）	dirty ／脏／더럽다	汚い手、汚いコップ
☐	兄弟（きょうだい）	siblings ／兄弟姐妹／형제	
☐	嫌い（きらい）（な）	dislikable; to dislike ／讨厌的／싫어하는	嫌いな食べ物
☐	切る（きる）	to cut ／切／자르다	野菜を切ってください。
☐	くもり	cloudy weather ／阴天／흐림	今日は一日曇りです。
☐	警官（けいかん）	police officer ／警官／경찰관	＝おまわりさん
☐	今朝（けさ）	this morning ／今天早晨／오늘 아침	今朝、雨が降りました。
☐	消す（けす）	to erase ／擦掉、关掉／끄다	テレビを消しました。

	語句	意味	例文
☐	結構（けっこう）	pretty, quite ／非常、充足／꽤	結構おいしかったです。／もう結構です。
☐	結婚（けっこん）(する)	marriage ／结婚／결혼	来年結婚します。
☐	交差点（こうさてん）	intersection ／十字路口／교차로	交差点を曲がる
☐	困る（こま）	to have difficulty ／为难，苦恼／곤란하다	パソコンがこわれて、困っています。
☐	こんな	... like this; this kind of ... ／这样的／이런～	
☐	コンビニ	convenience store ／便利店／편의점	

さ〜そ

	語句	意味	例文
☐	咲く（さ）	to bloom ／盛开／핀다	花が咲きました。
☐	作文（さくぶん）	composition ／作文／작문	宿題の作文
☐	寒い（さむ）	cold (weather) ／冷／춥다	今日は寒いです。
☐	自分（じぶん）	myself ／自己／자기，스스로	自分でやる
☐	閉まる（し）	to be closed ／关／닫히다	店は9時に閉まります。
☐	閉める（し）	to close ／关、把～关上／닫다	窓を閉めてください。
☐	～週間（しゅうかん）	～ weeks ／～周(周数)／～주간	
☐	上手（じょうず）(な)	be good at ／得很好（水平很高）／능숙한	彼は歌が上手です。
☐	じょうぶ(な)	healthy ／结实，健康／튼튼한	じょうぶな体
☐	知る（し）	to know ／知道，认识／알다	彼女を知っています。
☐	吸う（す）	to smoke ／吸／피다	たばこは吸いません。
☐	スーツ	suit ／西装、套装／정장	
☐	スカート	skirt ／裙子／스커트	スカートをはく
☐	～過ぎ（す）	past ／～以后／～지남，지나침	8時10分過ぎ、8時過ぎ
☐	すぐ(に)	right away ／马上，立刻／금방	すぐ行きます。
☐	涼しい（すず）	cool (weather) ／凉、凉快／시원하다	涼しい風
☐	～ずつ	～ each ／各～／～씩	2個ずつ食べました。
☐	座る（すわ）	to sit ／坐／앉다	いすに座りませんか。
☐	セーター	sweater ／毛衣／스웨터	
☐	石けん（せっ）	soap ／肥皂／비누	石けんで手を洗う
☐	狭い（せま）	small ／窄／香다	狭い部屋
☐	洗濯（せんたく）(する)	laundry ／洗衣服／세탁	服を洗濯する
☐	全部（ぜんぶ）	all ／全部／전부	全部あげます。
☐	そう	so ／那样，那么／그렇게	先生がそう言いました。

試験に出る 重要語句・文型リスト

	語句	意味	例文
☐	掃除(する)（そうじ）	cleaning／打扫／청소	部屋を掃除します。
☐	そして／そうして	and／and then／接着、然后／그리고	
☐	そば	near／旁边／옆	駅のそば
☐	それから	then／然后／그리고나서	学校に行って、それから、アルバイトに行きます。

た〜と

☐	大丈夫（だいじょうぶ）	all right／没问题，不要紧／튼튼함	足はもう大丈夫ですか。
☐	大好き(な)（だいすき）	favorite, much-loved／非常喜欢, 很爱好／아주 좋아하는	大好きな歌
☐	大変(な)（たいへん）	hard／重要、艰苦／힘든	大変な仕事
☐	〜だけ	only 〜／只〜、光〜／〜 만, 뿐	
☐	縦（たて）	longitudinal／纵／세로	
☐	建物（たてもの）	building／建筑物／건물	古い建物
☐	頼む（たの）	to ask (a favor)／委托，请求／부탁하다	彼に仕事を頼みました。
☐	たぶん	probably, maybe／大概／아마	彼はたぶん来ないと思います。
☐	誰か（だれ）	somebody／有谁／누군가	誰か彼女の電話番号を知っていますか。
☐	だんだん	bit by bit／渐渐／점점	だんだん寒くなってきました。
☐	違う（ちが）	wrong／不一样／다르다	答えが違います。
☐	茶色(い)（ちゃいろ）	brown／茶色的／갈색	茶色い封筒
☐	ちょうど	exactly／正好，整／마침，딱	ちょうど2時です。／ちょうどいいです。
☐	疲れる（つか）	to get tired／疲劳、累／피곤하다	今日は疲れました。
☐	次（つぎ）	next／下〜、下次／다음	次のページ／次、どこに行きますか。
☐	勤める（つと）	to work for／工作, 任职, 勤务／근무하다	A社に勤めています。
☐	つまらない	boring／无聊／재미없다	つまらない映画
☐	出かける（で）	to go out／出去, 出门／외출하다	買い物に出かけます。
☐	出口（でぐち）	exit／出口／출구	
☐	どうぞ	please／请／자，부디 (권하는 말)	どうぞ、お先に。
☐	時々（ときどき）	sometimes／有时, 偶尔／가끔	時々、外で食べます。
☐	所（ところ）	place／地方／곳	行きたい所、場所
☐	年①（とし）	year／年／년	新しい年
☐	年②（とし）	age／年龄／나이	(お)年はいくつですか。
☐	とても	very／很，非常／무척	とても大きいです。

☐	どなた	who (polite) ／谁、哪位／어느 분	どなたですか。
☐	隣(となり)	next (door, block, etc) ／隔壁／이웃, 옆	隣の部屋／家
☐	止(と)まる	to stop (intr.) ／停／멈추다	時計が止まっています。
☐	鳥(とり)	bird ／鸟类, 鸟, 禽／새	鳥が飛んでいます。
☐	取(と)る	to take ／拿／집다	その赤いかさを取ってください。
☐	どんな	what kind of … ／什么样的／어떤	どんなスポーツが好きですか。

な～の

☐	無(な)くす	to lose ／弄丢／없애다	きっぷをなくしました。
☐	なぜ	why ／为什么／어째서	＝どうして
☐	～など	and so on ／～等／～ 등	
☐	習(なら)う	to study ／学习／배우다	ピアノを習っています。
☐	並(なら)ぶ	to line up (intr.) ／摆、排／줄 서다	ここに並んでください。
☐	並(なら)べる	to line up (tr.) ／把～摆／나란히 늘어놓다	いすを並べてください。
☐	なる(～に)	to become ／当／되다	彼女は先生になりました。
☐	ニュース	news ／新闻／뉴스	テレビのニュース
☐	庭(にわ)	garden ／庭园／정원	家の庭
☐	脱(ぬ)ぐ	to take off (clothes) ／脱／벗다	セーターを脱ぎました。
☐	登(のぼ)る	to climb ／爬上／오른다	よく山に登ります。

は～ほ

☐	パーティー	party ／晚会／파티	パーティーに出る (attend)
☐	はく(～を)	to put on (items below your waist) ／穿、戴／신다, 입다	くつ／ズボン／スカートをはきます。
☐	箱(はこ)	box ／箱子／상자	箱を開ける
☐	始(はじ)め／初(はじ)め	at first ／首先、先／처음에 (는)	〈テスト〉始めに、名前を書いてください。／7月の初め
☐	初(はじ)めて	for the first time ／第一次／처음	初めて会う
☐	パソコン	PC, personal computer ／个人电脑／PC, 컴퓨터	
☐	早(はや)い	early ／早／빠르다	明日は授業が早いです。
☐	速(はや)い	fast ／快／빠르다	速くて、何を言っているか、よくわかりません。
☐	晴(は)れ	sunny weather ／晴, 晴天／맑음	明日は晴れです。
☐	番号(ばんごう)	number ／号码／번호	部屋の番号

試験に出る 重要語句・文型リスト

☐	半分（はんぶん）	half／一半／반	半分の大きさ、半分ずつ食べる
☐	弾く（ひく）	to play (a string instrument or piano)／弾奏／연주하다	母はときどき、ピアノを弾きます。
☐	ひま（な）	free／空闲／한가함	ひまな時、ひまになる
☐	病気（びょうき）	illness, sickness／病，疾病／병	病気になる、病気で休む
☐	封筒（ふうとう）	envelope／信封／봉투	茶色い封筒
☐	プール	swimming pool／游泳池／수영장	プールで泳ぐ
☐	吹く（ふく）	to blow／吹／불다	風はほとんど吹いていません。
☐	太い（ふとい）	thick／粗的／뚱뚱하다	太いペン
☐	降る（ふる）	to fall (rain, snow, etc)／（雨，雪等）下，降，落。／내리다	雨が降っています。
☐	文章（ぶんしょう）	article, composition／文章／문장	文章を読む
☐	下手（へた）（な）	not good at／棘手，水平低的／서투르다	料理は下手です。／下手な絵
☐	辺（へん）	around here／～一帯、附近／부근	この辺は店が多いです。
☐	方（ほう）	one／～那个、～地方／쪽	小さい方、赤い方、近い方
☐	ぼうし	hat, cap／帽子／모자	帽子をかぶる
☐	ボールペン	ballpoint pen／圆珠笔／볼펜	
☐	ほか	other／其它／그 밖에	ほかの色／ほかのも見せてください。
☐	ポケット	pocket／口袋／포켓	ズボンのポケット
☐	ほしい	to want／想要～／원하다	飲み物がほしいです。
☐	ボタン	button／纽扣／단추	白いボタンを押してください。／ワイシャツのボタン
☐	本棚（ほんだな）	bookshelf／书架／책장	辞書は本棚に戻してください。
☐	本当（ほんとう）	true／真的、真实的／정말	それは本当ですか。／本当のことを言ってください。

ま～も			
☐	まずい	bad, unpalatable／难吃的，味道不好的／맛없다	まずい料理
☐	まだ①	yet／还没～／아직	夕飯はまだ食べていません。
☐	まだ②	still／还在～／아직	まだ雨が降っています。
☐	まっすぐ	straight／照直，笔直／똑 바로	この道をまっすぐ行ってください。
☐	祭り（まつり）	festival／～节、节日、看热闹／축제	祭りに行く
☐	丸い／円い（まるい）	round／圆的／동그랗다	丸いテーブル
☐	磨く（みがく）	to polish, brush／刷，磨／닦다, 광을 내다	くつを磨く
☐	見せる（みせる）	to show／给…看，让…看／보여주다	写真を見せてください。

☐ 皆さん みな	everyone／各位／여러분	「皆さん、ここに来てください。」／皆さんからの質問 みな　　　　　　　き　　　　　　　　　　　　　　みな　　　　　　しつもん	
☐ 向こう む	over there／对面／건너편	向こうの店に行きましょう。／山の向こうには何がありますか。 む　　　　みせ　い　　　　　　　　　　　やま　　む　　　　　　　なに	
☐ メール	E-mail／电子邮件／이메일	メールを送る、メールを書く おく　　　　　　　　　か	
☐ もう	already／已经／이미	その本はもう読みました。 ほん　　　　よ	
☐ もう〜ない	not 〜 anymore／不(没)〜了／이제〜 없다, 아니다	もうお金がありません。／もう要りません。／もう会いたくありません。 かね　　　　　　　　　　　　　い　　　　　　　　　　　　あ	
☐ 持つ① も	to have／拿／들다	この荷物を持ってください。 にもつ　　も	
☐ 持つ② も	to have／有／가지다	車は持っていません。 くるま　も	
☐ もっと	more／更／좀더	もっと安いのはないですか。／もっと強く引いてください。 やす　　　　　　　　　　　　　　　　つよ　　ひ	
☐ 門 もん	gate／门／문	門が閉まっています。 もん　し	

や〜よ

☐ 〜屋 や	. . . shop／〜店／〜 가게	パン屋、本屋 や　　ほんや	
☐ 野菜 やさい	vegetable／蔬菜／야채	野菜をたくさん食べます。 やさい　　　　　　　た	
☐ 易しい やさ	easy, simple／容易／쉽다	易しい問題 やさ　もんだい	
☐ 有名(な) ゆうめい	famous／有名的／유명한	有名な場所 ゆうめい　ばしょ	
☐ ゆっくり(と)	slowly; leisurely／慢慢地／천천히	もっとゆっくり話してください。 はな	
☐ 横 よこ	beside／旁边／옆	本だなはソファーの横に置きました。 ほん　　　　　　　　　　よこ　お	
☐ 呼ぶ よ	to call／叫、称呼／부르다	店員を呼ぶ、名前を呼ぶ／みんな、彼のことを「先生」と呼んでいました。 てんいん　よ　　なまえ　よ　　　　　　　かれ　　　　　　　せんせい　　よ	
☐ 弱い よわ	weak／弱的／약하다	子どもの頃は、体が弱かったです。 こ　　　　ころ　　からだ　よわ	

ら〜ん

☐ りっぱ(な)	magnificent, wonderful／气派, 出色, 优秀, 极好／훌륭한	立派な建物／家／人 りっぱ　たてもの　いえ　ひと	
☐ 両親 りょうしん	parents／双亲、父母／양친		
☐ 練習(する) れんしゅう	to practice／练习／연습	テニスの練習、練習問題 れんしゅう　れんしゅうもんだい	
☐ ろうか	corridor／走廊／복도	ろうかを走らないでください。 はし	
☐ 若い わか	young／年轻／젊다	若い人たち、若い頃 わか　ひと　　　わか　ころ	
☐ 忘れる わす	to forget, to leave behind／忘记／잊다	日にちを忘れる／かさを忘れました。 ひ　　　　わす　　　　　　わす	
☐ 渡す わた	to give／交给、递给／건네주다	かぎは妹に渡しました。 いもうと　わた	
☐ 渡る わた	to cross／过, 渡过／건너다	橋を渡る はし　わた	

試験に出る 重要語句・文型リスト

「文法」のポイント 60

	項目 (Grammar Point／项目／항목)	例文
1 ☐	Aクテ	駅から近くて、便利です。
2 ☐	Aク＋V	早く起きます。
3 ☐	A＋N、Na＋N	安い店／静かな店
4 ☐	Naニ＋V	きれいに書きます。
5 ☐	Aノ	赤いのをください。
6 ☐	Naナノ	きれいなのをください。
7 ☐	場所ニ～ガアル	冷蔵庫にケーキがあります。
8 ☐	自動詞と他動詞 (Intransitive and transitive verbs／自动词和他动词／자동사와 타동사)	①9時に授業が始まります。 ②9時に授業を始めます。
9 ☐	テアル	玄関に荷物が置いてあります。
10 ☐	テイル	窓が閉まっています。
11 ☐	～ナイデV	息子は朝ご飯も食べないで出かけました。
12 ☐	(・・・修飾・・・)N 〔(...modifier...) N／(・・・修饰・・・)N／(…수식…)N〕	私の知らない人／母が作った料理
13 ☐	疑問詞＋カ (Interrogative＋カ／疑问词＋カ／의문사＋カ)	①何か食べますか。 ②入口がどこか、わかりません。
14 ☐	コノ、ソノ、アノ、ドノ	①この店に入りましょう。 ②その店は駅から近いですか。 ③あの店は何の店ですか。 ④どの店がいいですか。

Example Sentence	例句	예문
It's close to the station, so it's convenient.	离车站近，很方便。	역에서 가까워 편리합니다.
to get up early	早点儿起床。	일찍 일어납니다.
cheap shop/quiet shop	便宜店 / 安静店	싼 가게 / 조용한 가게
to write clearly	字写得很漂亮。	깨끗이 씁니다
Red one, please.	请把红的给我。	빨간 것을 주세요.
Clean one, please.	给我个干净点的。	깨끗한 것을 주세요.
There is a cake in the refrigerator.	冰箱里有一块蛋糕。	냉장고에 케이크가 있습니다.
① The class begins at 9. ② I begin the class at 9.	①九点上课 ②九点开始上课。	① 9시에 수업이 시작되다. ② 9시에 수업을 시작하다.
There is luggage at the front door (that was left there by someone).	门口放着行李。	현관에 짐이 놓여 있습니다.
The window is closed.	窗户关着。	창문이 닫혀 있습니다.
The son went out without eating breakfast.	儿子没吃早饭就出去了。	아들은 아침 식사도 하지 않고 나갔습니다.
a person whom I don't know/food that mother made	我不认识的人 / 母亲做的菜	내가 모르는 사람 / 어머니가 만든 요리
① Do you want to eat something? ② I don't know where the exit is.	①吃点儿什么吗？ ②不知道出口在哪儿。	①무언가 먹겠습니까. ②입구가 어딘지 모르겠습니다.
① Let's enter this shop. ② Is that shop close to the station? ③ What kind of shop is that shop over there? ④ Which shop is good?	①进这家店吧。 ②那家店离车站近吗？ ③那家店是什么店？ ④哪家店好呢？	①이 가게에 들어갑시다. ②그 가게는 역에서 가깝습니까. ③저 가게는 어느 가게입니까. ④어느 가게가 좋습니까.

試験に出る 重要語句・文型リスト

項目 (Grammar Point／項目／항목)	例文
15 ☐ **コチラ、ソチラ、ドチラ**	①こちらにどうぞ。 ②もうすぐそちらに着きます。 ③出口はあちらです。 ④受付はどちらですか。
16 ☐ **コッチ、ソッチ、ドッチ**	①こっちに来てください。 ②今からそっちに行きます。 ③危ないから、あっちに置いてください。 ④赤と白、どっちがいいですか。
17 ☐ **〜ハ　〜ガ**	これはチーズではありません。バターです。 あれがチーズです。
18 ☐ **〜ヲ**	店の前を通る／この道を歩く／公園を散歩する／部屋を出る
19 ☐ **〜ニ**	先生に会う／友達にもらう／バスに乗る／家にある／買いに行く／練習に行く／週に3回
20 ☐ **〜デ**	公園で遊ぶ／バスで行く／木で作る／かぜで休む／3つで100円／一人で行く
21 ☐ **〜ヘ**	図書館へ行く
22 ☐ **〜ト**	友だちと会う／妹と行く
23 ☐ **〜カラ　〜マデ**	9時から11時まで勉強します。
24 ☐ **〜ハ**	①練習は外でしてください。 ②私はお酒は飲みません。 ③私は行きますが、彼女は行きません。

Example Sentence	例句	예문
①Please come this way. ②I'll arrive there (where you are) soon. ③The exit is over there. ④Where is the reception?	①这边请。 ②马上就到。(那里) ③出口在那边。 ④传达室/挂号处/登记处在哪儿？	①이쪽으로 오세요. ②이제 곧 그쪽에 도착합니다. ③출구는 저쪽입니다. ④접수는 어느 쪽입니까.
①Please come over here. ②I'll go over now (to where you are). ③It's dangerous, please put it over there.	①请到这边来。 ②现在去你那儿。 ③(这边)危险放那边吧。 ④红的白的你喝哪个？	①이 쪽으로 와 주세요 ②지금부터 그 쪽에 가겠습니다. ③위험하니까 저기에 놓아 주세요. ④빨강과 하양, 어느 쪽이 좋습니까.
This isn't cheese. It's butter. That is cheese.	这不是干酪，是黄油。那才是干酪。	이것은 치즈가 아닙니다. 버터입니다. 저것이 치즈입니다.
to walk past the front of the shop/to walk on this path/to take a walk in the park/to exit the room	经过商店的前边/走这条道/在公园散步/离开房间	가게 앞을 지나다/이 길을 걷다/공원을 산책하다/방을 나오다
to meet the teacher/to receive something from a friend/to get on a bus/to go buy something/to go to practice/3 times a week	见老师/从朋友那儿得到/坐公共汽车/在家里/去买/去练习/一个星期(一周)三次	선생님과 만나다/친구에게 받다/버스를 타다/집에 있다/사러 가다/연습하러 가다/일 주일에 3번
to play in the park/to go by bus/to make something out of wood/to rest because of a cold/3 for 100 yen/to go by oneself	在公园玩儿/坐公共汽车去/用木头做/因感冒休息/三个100日元/一个人去	공원에서 놀다/버스로 가다/나무로 만들다/감기로 쉬다/3개에 100엔/혼자서 가다
to go to the library	去图书馆	도서관에 가다
to meet a friend/to go with one's younger sister	和朋友见面/跟妹妹去	친구들과 만나다/여동생과 가다
I study from 9 to 11.	从9点到11点学习。	9시부터 11시까지 공부합니다.
①Please practice outside. ②I do not drink alcohol. ③I will go, but she will not go.	①请在外边练习。 ②我不喝酒。 ③我去，可她不去。	①연습은 밖에서 해 주세요. ②나는 이 술은 마시지 않습니다. ③나는 갑니다만 그녀는 가지 않습니다.

試験に出る 重要語句・文型リスト

項目 (Grammar Point／項目／항목)	例文
25 ☐ ～モ	私は行きます。彼女も行きます。
26 ☐ 助詞＋助詞 (格助詞＋ハ／モ) (Particle + particle／助詞＋助詞／조사＋조사)	①この部屋にはテレビがありません。 ②日本でも、彼は有名です。 ③京都へは何で行きますか。 ④彼とは話しました。 ⑤外国からもたくさんの人が京都へ来ます。
27 ☐ ～カ	①今日か明日、返事をします。 ②行くか行かないか、早く決めてください。
28 ☐ ～クライ／～グライ	この部屋には30人ぐらい入ります。
29 ☐ ～ダケ	一人だけ遅れて来ます。
30 ☐ ～シカ	①1000円しか持っていません。 ②日本の歌しか知りません。
31 ☐ ～テ	①朝起きて、新聞を読みます。〈時間の順序〉 ②これを使って作ります。〈手段〉 ③かぜをひいて休みました。〈理由〉
32 ☐ ～ナガラ	テレビを見ながら、ごはんを食べます。
33 ☐ ～タリ	休みの日は、テレビを見たり、本を読んだりします。
34 ☐ ～ジュウ	ここは一年中暑いです。
35 ☐ ～タチ	田中さんたち
36 ☐ ～コロ／ゴロ	7月ごろに
37 ☐ アマリ～ナイ	わたしはテレビをあまり見ません。
38 ☐ ～ヲクダサイ	それをください。

Example Sentence	例句	예문
I will go. She will go too.	我去，她也去。	나는 갑니다 . 그녀도 갑니다 .
① In this room, there isn't a TV. ② She is famous is Japan as well. ③ How are you going to Kyoto? ④ I spoke to him. ⑤ Many people come to Kyoto from overseas too.	①这个房间里没有电视。 ②他在日本也有名。 ③怎么去京都？ ④跟他说了。 ⑤从外国也有很多人来京都。	①이 방에는 텔레비전이 없습니다 . ②일본에서도 그는 유명합니다 . ③교토에는 무엇으로 갑니까 . ④그와는 이야기했습니다 . ⑤외국에서도 많은 사람이 교토에 옵니다 .
① I will reply today or tomorrow. ② Please decide early whether you will or will not go.	①今天或明天答复你。 ②去不去早点儿定。	①오늘인가 내일 답을 하겠습니다 . ②갈지 가지 않을지 빨리 정해 주세요 .
This room can hold about 30 people.	这个房间能容纳 30 人。	이 방에는 30 인 정도 들어갑니다 .
Only 1 person will come late.	只有一个人晚来。	한 사람만 늦게 올 겁니다 .
① I only have 1,000 yen on me. ② I only know songs from Japan.	①只带了 1000 日元。 ②只知道（只会唱）日本歌。	① 1000 엔밖에 가지지 않았습니다 . ②일본 노래밖에 모릅니다 .
① I get up in the morning and read the newspaper. 〈sequence of actions〉 ② I make it using this. 〈method〉	①早上起来看报。〈时间顺序〉 ②用这个做。〈手段〉 ③因为感冒休息了。〈理由〉	①아침에 일어나 신문을 읽습니다 . 〈시간순〉 ②이것을 사용해 만듭니다〈수단〉 ③감기에 걸려 쉬었습니다〈이유〉
While watching TV, I have my meal.	一边看电视一边吃饭。	텔레비전을 보면서 밥을 먹습니다 .
On my days off, I watch TV and read books.	休息日看看电视，看看书。	쉬는 날에는 텔레비전을 보거나 책을 읽거나 합니다 .
It is hot here all year round.	这里一年四季都热。	여기는 일 년 내내 덥습니다 .
Tanaka-san and the others	田中他们	다나카 씨들
around July	7 月份的时候	7 월경에
I don't watch TV often.	我不太（不怎么）看电视。	나는 텔레비전을 별로 보지 않습니다 .
That one, please.	请给我那个。	그것을 주세요 .

試験に出る 重要語句・文型リスト

項目 (Grammar Point／項目／항목)	例文
39 ☐ **Ｖテクダサイ**	名前を書いてください。
40 ☐ **Ｖナイデクダサイ**	ここで写真をとらないでください。
41 ☐ **Ｖテクダサイマセンカ**	その本を貸してくださいませんか。
42 ☐ **Ｖマショウ**	〈教室で〉先生「授業を始めましょう。」
43 ☐ **Ｖマセンカ**	いっしょに映画を見に行きませんか。
44 ☐ **Ｎガホシイ**	新しい辞書がほしいです。
45 ☐ **Ｖタイ**	疲れました。少し休みたいです。
46 ☐ **〜ガ**	おいしいですが、ちょっと高いです。
47 ☐ **〜トキ**	①学校へ行くとき、ここを通ります。 ②先週会った時、彼は元気でした。
48 ☐ **〜テカラ**	手をあらってから、ごはんを食べます。
49 ☐ **〜タアトデ**	映画をみたあとで、きっさてんに行きます。
50 ☐ **〜マエニ**	寝る前に、本を読みます。
51 ☐ **推量** (Conjecture／推測／추측)	明日はいい天気でしょう。
52 ☐ **Ａクナル／Ｎａ ニナル／Ｎ ニナル**	①もうすぐ暖かくなります。 ②たくさん寝て、元気になりました。 ③むすこは高校生になりました。
53 ☐ **Ａクスル／Ｎａ ニスル／Ｎ ニスル**	①部屋を明るくします。 ②部屋をきれいにします。 ③〈レストランで〉わたしはコーヒーにします。
54 ☐ **モウ＋肯定** (モウ＋ affirmative／モウ＋肯定／모우＋긍정)	もう家に帰りました。

Example Sentence	例句	예문
Please write your name.	请写一下名字。	이름을 써 주세요.
Please do not take photographs here.	请不要在这儿照相。	여기에서 사진을 찍지 말아 주세요.
Could you please lend me the book?	那本书能借给我吗？	그 책을 빌려 주시지 않겠습니까？
〈in the classroom〉 Teacher: "Let's begin the class."	〈在教室〉老师说"上课"	〈교실에서〉선생님 "수업을 시작합시다"
Do you want to go watch a movie with me?	不一起去看电影吗？	함께 영어를 보러 가지 않겠습니까.
I want a new dictionary.	想买一本新词典。	새 사전을 갖고 싶습니다.
I'm tired. I want to rest for a while.	累了，想休息一下。	피곤합니다. 조금 쉬고 싶습니다.
It's delicious, but a little expensive.	好吃是好吃，就是有点贵。	맛있지만 조금 비쌉니다.
① When I go to school, I pass through here. ② When I met him last week, he was fine.	①去学校时经过这儿。 ②上星期见到他时他很好。	①학교에 갈 때 여기를 지납니다. ②지난주에 만났을 때 그는 잘 있었습니다.
I will have my meal after I wash my hands.	先洗手再吃饭。	손을 씻고 나서 밥을 먹습니다.
After watching the movie, I will go to the coffee shop.	看完电影去咖啡店。	영화를 본 다음에 커피숍에 갔습니다.
Before going to bed, I read a book.	睡觉前看书。	자기 전에 책을 읽습니다.
The weather will be fine tomorrow.	明天大概是个好天吧。	내일은 좋은 날씨일 것입니다.
① It will get warm soon. ② I slept a lot and now I feel fine. ③ The son became a high school student.	①马上就暖和了。 ②睡足了，精神了。 ③儿子上高中了。	①이제 곧 따뜻해집니다. ②많이 자서 기운이 납니다. ③아들은 고등학생이 되었습니다.
① I'll make the room bright. ② I'll clean up the room. ③ 〈at a restaurant〉 I'll have coffee.	①把房间弄亮一点。 ②把房间收拾干净。 ③〈在咖啡厅〉我喝咖啡。	①방을 밝게 합니다. ②방을 깨끗이 합니다. ③〈레스토랑에서〉나는 커피로 하겠습니다.
I've already returned to my home.	已经回家了。	이미 집에 돌아갔습니다.

試験に出る 重要語句・文型リスト

項目 (Grammar Point／項目／항목)	例文
55 ☐ **モウ＋否定** （モウ＋ negative／モウ＋否定／모우+부정）	もうお金がありません。
56 ☐ **マダ＋肯定** （マダ＋ affirmative／マダ＋肯定／마다+긍정）	まだ時間があります。
57 ☐ **マダ＋否定** （マダ＋ negative／マダ＋否定／마다+부정）	バスはまだ来ません。
58 ☐ **〜トイウ**	田中というものです。
59 ☐ **〜カラ**	寒いから、コートを着ます。
60 ☐ **〜ハ〜ガ**	私はこの本が読みたいです。

Example Sentence	例句	예문
I don't have much money left.	没钱了。	이제 돈이 없습니다.
There's still time.	还有时间。	아직 시간이 있습니다.
The bus hasn't come yet.	公共汽车还没来。	버스는 아직 오지 않습니다.
My name is Tanaka.	我叫田中。	다나카입니다.
I wear a coat because it's cold.	因为冷所以穿大衣。	추우니까 코트를 입습니다.
I want to read this book.	我想看这本书。	나는 이 책을 읽고 싶습니다.

● 著者

渡邉 亜子（わたなべ あこ）　元明海大学非常勤講師
青木 幸子（あおき さちこ）　松江総合ビジネスカレッジ専任講師
高橋 尚子（たかはし なおこ）　熊本外語専門学校専任講師
藤田 朋世（ふじた ともよ）　静岡大学非常勤講師
黒江 理恵（くろえ りえ）　岡山大学非常勤講師

レイアウト・DTP　　オッコの木スタジオ
カバーデザイン　　花本浩一
翻訳　　Sim Yee Chiang ／ Ako Lindstrom ／司馬黎／崔明淑
本文イラスト　　杉本智恵美

日本語能力試験 完全模試 N5

平成 25 年（2013 年）6 月 10 日　　初版第 1 刷発行
令和 4 年（2022 年）2 月 10 日　　　第 6 刷発行

著　者　渡邉亜子・青木幸子・高橋尚子・藤田朋世・黒江理恵
発行人　福田富与
発行所　有限会社Ｊリサーチ出版
　　　　〒 166-0002　東京都杉並区高円寺北 2-29-14-705
電　話　03(6808)8801（代）　FAX 03(5364)5310
編集部　03(6808)8806
　　　　https://www.jresearch.co.jp
印刷所　株式会社シナノ パブリッシング プレス

ISBN 978-4-86392-141-2
禁無断転載。なお、乱丁、落丁はお取り替えいたします。

©2013　Ako Watanabe, Sachiko Aoki, Naoko Takahashi, Tomoyo Fujita, Rie Kuroe
　　　　All rights reserved.　Printed in Japan

日本語能力試験 完全模試 シリーズ

ゼッタイ合格！
日本語能力試験 完全模試
N5

Japanese Language Proficiency Test N5—Complete Mock Exams
日语能力考试　完全模拟试题　N5
일본어능력시험　완전모의고사　N5

渡邉亜子／青木幸子／高橋尚子／藤田朋世／黒江理恵●共著

模擬試験●第1～3回

問題

※最後に解答用紙があります。

★この別冊は、強く引っ張ると取りはずせます。
The appendix can be removed by pulling it out strongly.
另册部分可以拆卸。
이 별책은 힘껏 잡아당기면 뗄 수 있습니다.

Jリサーチ出版

模擬試験
第1回

N5

げんごちしき（もじ・ごい）

（25ふん）

模擬試験 第1回

もんだい1 ＿＿＿の ことばは ひらがなで どう かきますか。
1・2・3・4から いちばん いい ものを ひとつ えらんで ください。

(れい) 教室に 学生が 3にん います。
　　1　きょうしつ　　2　きょしつ　　3　きしつ　　4　きょうしっつ

　　（かいとうようし）　(れい) ● ② ③ ④

1 兄弟は なんにんですか。
　　1　きょだい　　2　きょうたい　　3　ぎょうだい　　4　きょうだい

2 がっこうは こうえんの 西に あります。
　　1　にし　　2　ひがし　　3　みなみ　　4　きた

3 きょうは しがつ 四日です。
　　1　ようか　　2　よっか　　3　よか　　4　よが

4 つくえの 下に ねこが います。
　　1　うえ　　2　まえ　　3　うしろ　　4　した

5 ふじさんは にほんで いちばん 高い やまです。
　　1　ひくい　　2　やすい　　3　たかい　　4　ほそい

6 この ほんは 800円でした。
　1　はぴゃくえん　　　　2　はびゃくえん
　3　はっびゃくえん　　　4　はっぴゃくえん

7 ボールペンを 三本 かいました。
　1　しゃほん　　　　　　2　さんぽん
　3　さんぼん　　　　　　4　しゃんぼん

8 パンを 半分 もらいました。
　1　はむぶん　　2　はむぷん　　3　はんぶん　　4　はんぷん

9 新しい くるまが ほしいです。
　1　かなしい　　2　あたらしい　　3　たのしい　　4　すずしい

10 海に およぎに いきます。
　1　いみ　　　2　うみ　　　3　かみ　　　4　いけ

模擬試験 第1回

もんだい2 ＿＿＿の ことばは どう かきますか。1・2・3・4から いちばん いい ものを ひとつ えらんで ください。

4分(1問30秒)

(れい) なつやすみは <u>くに</u>に かえります。

1 固　　　2 国　　　3 図　　　4 囲

(かいとうようし) | (れい) | ① ● ③ ④ |

---

11 <u>わいしゃつ</u>を かいました。

1 ワイシャツ　　　2 ワイシャソ
3 ウイリャソ　　　4 ウィシヤツ

12 あさごはんを <u>たべました</u>。

1 食べました　　　2 分べました
3 今べました　　　4 飯べました

13 <u>ひがし</u>の そらが あかいです。

1 来　　　2 車　　　3 東　　　4 天

14 この くるまは <u>100まんえん</u>です。

1 100万　　　2 100子　　　3 100方　　　4 100友

15 あした <u>ごご</u> 2じに えきで あいましょう。

1 牛前　　　2 午後　　　3 午前　　　4 牛後

16 せんせいの はなしを ききました。
1 間きました　　2 聞きました
3 問きました　　4 門きました

17 まいにち 3じかん べんきょうします。
1 時間　2 時間　3 忖間　4 昕間

18 あめが ふって います。
1 冉　2 雨　3 再　4 両

模擬試験 第1回

もんだい3 （ ）に なにを いれますか。1・2・3・4から いちばん いい ものを ひとつ えらんで ください。

（れい） かんじを たくさん （   ）。
1 おぼえました　　　　2 うたいました
3 しめました　　　　　4 はいりました

（かいとうようし）　（れい）　● ② ③ ④

---

19 まいばん テレビの （   ） を みます。
1 ノート　　2 ラジオ　　3 ニュース　　4 ポスト

20 としょかんの ほんを （   ）。
1 おしました　　　　2 かえしました
3 かえりました　　　4 おわりました

21 すずきさんは あかい ぼうしを （   ） います。
1 かぶって　　2 きて　　3 はいて　　4 はいって

22 （   ）ですから、ちかへ いかないでください。
1 あぶない　　2 いたい　　3 おおきい　　4 とおい

23 いちにち 3（   ）ごはんを たべます。
1 えん　　2 だい　　3 かい　　4 ばん

24 (　　) が とても おもいです。

1 やま　　2 みみ　　3 にもつ　　4 りょうり

25 この カメラで わたしを (　　) ください。

1 かって　　2 まって　　3 とって　　4 もって

26 サッカーの (　　) を します。

1 せんしゅう　2 れんしゅう　3 コート　　4 スポーツ

27 きっさてんは くつやの (　　) です。

1 まえ
2 となり
3 うえ
4 した

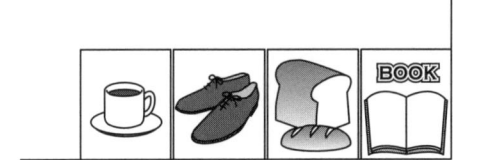

28 たなかさんは (　　) で たべて います。

1 フォーク
2 ナイフ
3 はし
4 スプーン

模擬試験 第1回

5分（1問60秒）

もんだい4 ＿＿＿の ぶんと だいたい おなじ いみの ぶんが あります。1・2・3・4から いちばん いい ものを ひとつ えらんで ください。

(れい) わたしの たんじょうびは 4がつ ついたちです。
1 4がつ ついたちに たいしかんに いきました。
2 4がつ ついたちに けっこんしました。
3 4がつ ついたちに うまれました。
4 4がつ ついたちに しごとを はじめました。

(かいとうようし) | (れい) | ① ② ● ④ |

29 せんしゅう かぜを ひきました。でも、もう、だいじょうぶです。
1 かぜを ひいて ずっと ねています。
2 かぜを ひいて がっこうを やすんで います。
3 かぜを ひきました。まだ、よくありません。
4 かぜを ひきました。いまは、げんきです。

30 この しごとは じかんが かかります。
1 この しごとは すぐに できます。
2 この しごとは すぐに できません。
3 この しごとは たいへん かんたんです。
4 この しごとは とても つまらないです。

31 ゆうべ みちで すずきさんに あいました。
　1　おとといの よる みちで すずきさんに あいました。
　2　おとといの あさ みちで すずきさんに あいました。
　3　きのうの よる みちで すずきさんに あいました。
　4　きのうの あさ みちで すずきさんに あいました。

32 たなかさんは うたが じょうずでは ありません。
　1　たなかさんは うたが きらいです。
　2　たなかさんは うたが すきです。
　3　たなかさんは うたが すきではありません。
　4　たなかさんは うたが へたです。

33 この ズボンは きたないです。
　1　この ズボンは きれいではありません。
　2　この ズボンは じょうぶではありません。
　3　この ズボンは ふるいです。
　4　この ズボンは みじかいです。

模擬試験
第1回

N5

言語知識(文法)・読解

(50分)

模擬試験 第1回

もんだい1 （　）に 何を 入れますか。1・2・3・4から いちばん いい ものを 一つ えらんで ください。

（れい） ここ（　）きょうしつです。

　　　1　に　　　　2　を　　　　3　は　　　　4　や

　　　（かいとうようし）　（れい）　① ② ● ④

1 スーパーで りんご（　）みかんを かいました。
　　　1　は　　　　2　も　　　　3　と　　　　4　か

2 弟は 今年 大学（　）入りました。
　　　1　に　　　　2　が　　　　3　か　　　　4　や

3 これは わたし（　）かいた 絵です。
　　　1　が　　　　2　で　　　　3　は　　　　4　や

4 兄は サッカーが 好きですが、弟（　）あまり 好きでは ありません。
　　　1　と　　　　2　に　　　　3　も　　　　4　は

5 わたしは 自転車（　）のって、うみへ 行きました。
　　　1　に　　　　2　の　　　　3　で　　　　4　を

6 A「何時に うちへ 帰りますか。」
　B「7時（　　）帰ります。」
　1　ごろ　　　　2　じゅう　　　　3　まで　　　　4　ぐらい

7 A「田中さんは、どこですか。」
　B「あそこです。今 電話で（　　）。」
　1　話しました　　　　　　　　2　話しています
　3　話しませんでした　　　　　4　話しません

8 田中「リサさんは、（　　）国へ 帰りますか。」
　リサ「1月に 帰ります。」
　1　どのくらい　　2　なに　　　3　どこ　　　4　いつ

9 先生「明日は 本と ノートを（　　）。」
　学生「はい。わかりました。」
　1　持ってきました　　　　　　2　持ってきましょうか
　3　持ってきたいです　　　　　4　持ってきてください

10 わたしは 子どもの 時、スポーツが（　　）。
　1　好きではありませんでした　　2　好きくなかったです
　3　好きはなかったです　　　　　4　好きではないでした

模擬試験 第1回

11 A「田中さんの 電話ばんごうを 知っていますか。」
　 B「いいえ。(　　　)。」
　 1　知りません　　　　　　2　知りないです
　 3　知っていません　　　　4　知っていないです

12 A「映画を (　　　) あとで、デパートへ 行きませんか。」
　 B「ああ、いいですね。」
　 1　見る　　　2　見て　　　3　見た　　　4　見ます

13 かよう日と もくよう日 (　　) ピアノを 教えています。
　 1　から　　　2　だけ　　　3　まで　　　4　ほど

14 木村「田中さんは、よく テレビを 見ますか。」
　 田中「いいえ、(　　　) 見ません。」
　 1　よく　　　2　ときどき　　3　あまり　　4　すこし

15 きのうの 映画は (　　　)。
　 1　おもしろくないかったです　　2　おもしろくなかったです
　 3　おもしろいじゃなかったです　4　おもしろいだったです

16 A「きのう、新しい デパートへ 行きました。」
　 B「(　　　)。どうでしたか。」
　 1　そうですか　　　　2　そうですよ
　 3　そうですね　　　　4　そうです

言語知識（文法）
・読解

だい1かい

だい2かい

だい3かい

もじ・ごい

ぶんぽう

どっかい

ちょうかい

模擬試験 第1回

もんだい2 ___★___ に 入る ものは どれですか。1・2・3・4から いちばん いい ものを 一つ えらんで ください。

5分(1問50秒)

(もんだいれい)

　　A「その ___ ___ ___★___ ___ 買いましたか。」
　　B「大学の 本屋で 買いました。」
　　1　は　　　　2　本　　　　3　で　　　　4　どこ

(こたえかた)

1. ただしい 文を つくります。

　　A「その ___ ___ ___★___ ___ 買いましたか。」
　　　　2 本　　1 は　　4 どこ　　3 で
　　B「大学の 本屋で 買いました。」

2. ___★___ に 入る ばんごうを くろく ぬります。

　　(かいとうようし)　|(れい)| ① ② ③ ●|

---

17 (学校で)

森先生「新しい ___ ___ ___★___ ___ ね。」
野村先生「ええ。子どもたちも きっと 喜ぶでしょう。」
　　1　ひろくて　　2　教室　　3　きれいです　　4　は

18 カルロス「けさは ＿＿ ＿＿ ★ ＿＿ へ 来ました。」
　　マリア「じゃあ、お腹が空いているでしょう。」
　　1　も　　　　2　学校　　　3　食べないで　　4　何

19 （交番で）
　　田中　「すみません、ゆうびんきょく ＿＿ ＿＿ ★ ＿＿ か。」
　　けいかん「あの 白い ビルの 前に ありますよ。」
　　1　どこ　　　2　あります　　3　に　　　　4　は

20 山下　「スミスさん、けさは 何を しましたか。」
　　スミス「図書館 ＿＿ ＿＿ ★ ＿＿ 行きました。」
　　1　かりに　　2　へ　　　　3　を　　　　4　本

21 リサ　「今日の午後は 映画を ＿＿ ＿＿ ★ ＿＿ 行きませんか。」
　　よう子「ええ。そうしましょう。」
　　1　へ　　　　2　それから　　3　みて　　　4　きっさてん

もんだい3 　22 から 26 に 何を 入れますか。ぶんしょうの いみを かんがえて、1・2・3・4から いちばん いい ものを 一つ えらんで ください。

6分(1問70秒)

　日本で べんきょうして いる 学生が「じこしょうかい」の ぶんしょうを 書いて、クラスの みんなの 前で 読みました。

(1) リサさんの ぶんしょう

　はじめまして。わたしは リサです。ブラジル 22 来ました。わたしは 日本の 映画が すきです。国で 日本の 映画を たくさん みました。わたしは 日本語で 日本の 映画を みたいです。 23 、まだ 日本語が あまり わかりませんから、みることが できません。これから、日本語の べんきょうを がんばります。みなさん、こんど いっしょに 日本の えいがを みましょう。よろしく おねがいします。

(2) キムさんの ぶんしょう

　みなさん、はじめまして。わたしは かんこくの キムです。わたしは せんげつ 日本へ 来ました。わたしは 今 日本の 会社で 24 。
　わたしは 日本の 食べ物が 好きです。先週、会社の 人と おすしを 食べに 行きました。おすしは とても おいしかったです。また 食べに 25 。みなさんは 日本の 食べ物で 26 が いちばん すきですか。おいしい 食べ物を いろいろ おしえて くださいね。

22

1　まで　　　2　から　　　3　に　　　4　と

23

1　でも　　　2　それから　　3　だから　　4　では

24

1　はたらきます　　　　2　はたらきません
3　はたらいています　　4　はたらいていませんでした

25

1　行きましょう　　　　2　行きたいです
3　行きませんか　　　　4　行っていませんでした

26

1　どちら　　2　何　　3　どこ　　4　いくら

もんだい4 つぎの (1)から (3)の ぶんしょうを 読んで、しつもんに こたえて ください。こたえは、1・2・3・4から いちばん いい ものを 一つ えらんで ください。

(1)

　きのうは わたしの たんじょう日でした。田中さんと 石川さんの 二人から 花と CDを もらいました。CDは 妹も 大好きな 歌ですから、いっしょに 聞きました。今日は 弟が 聞いています。

27 「わたし」は だれと CDを 聞きましたか。
　1　田中さんと 石川さんと 聞きました。
　2　石川さんと 聞きました。
　3　妹と 聞きました。
　4　弟と 聞きました。

(2)
　図書館は　駅の　近くに　あります。駅を　出て　右に　ぎんこうが　ありますから、そこを　右に　まがって　ください。少し　まっすぐ　行って、本屋が　ある　かどを　左に　まがって　ください。道の　右がわに　図書館が　あります。

[28] 図書館は　どこですか。

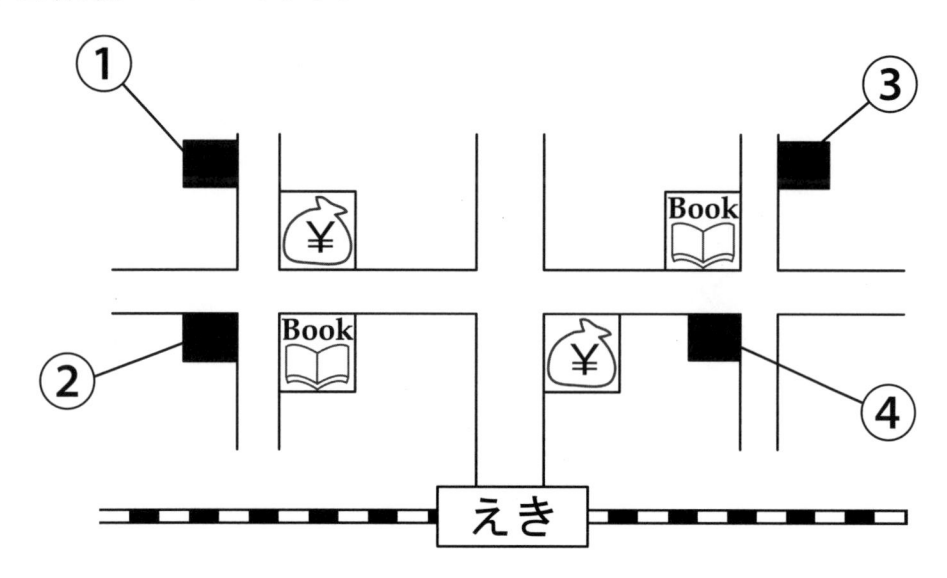

(3)
山下さんから 田中さんに メールが 来ました。

田中さん

おひさしぶりです。北海道は さむいですか。
7月15日から 友だちと 北海道に 旅行に 行きます。
その時に 会うことは できませんか。わたしは 15日の
夜と 16日の 昼は 友だちと いっしょですが、16日の
夜は ひとりです。おへんじを 待っています。

山下

---

[29] 山下さんは いつ 時間が ありますか。
1 7月15日の 昼
2 7月15日の 夜
3 7月16日の 昼
4 7月16日の 夜

もんだい5 つぎの ぶんしょうを 読んで、しつもんに こたえて ください。こたえは、1・2・3・4から いちばん いい ものを 一つ えらんで ください。

　わたしは 毎日 電車で 大学に 行っています。きのうは 電車の 中で すわって 本を 読んでいました。おもしろい 本でした。少し して、となりの 人が「どうぞ、すわって ください」と 言いました。前に おばあさんが 立っていました。となりの 人が 立って、おばあさんが すわりました。おばあさんは「ありがとうございます」と 言いました。わたしは 本を 読んでいましたから、おばあさんが いる ことが わかりませんでした。

　ときどき ほかの 人を 見る ことが 大切です。次は 電車や バスの 中で おじいさんや おばあさんに「どうぞ」と 言いたいです。

[30]「わたし」は どうして「どうぞ」と 言いませんでしたか。
1　すわって 本を 読みたかったから
2　となりの 人が 先に 言ったから
3　知らない おばあさんだったから
4　おばあさんを 見ていなかったから

[31]「わたし」は、次は どうしますか。
1　ほかの人と 話します。
2　立って 本を 読みます。
3　おじいさんたちに「どうぞ」と 言います。
4　おばあさんに「ありがとうございます」と 言います。

もんだい6 右の ページを 見て、下の しつもんに こたえて ください。こたえは、1・2・3・4から いちばん いい ものを 一つ えらんで ください。

[32] 田中さんは、かぞくで どうぶつえんに 行きました。田中さんの かぞくは 5人です。田中さんと 奥さん、そして 3人の 子どもです。いちばん 上の 高校生の 女の子は 友だちと プールに 行きましたから、来ていません。あとの 二人は 男の子で、10さいと 5さいです。ぜんぶで いくら はらいますか。

1　3400円
2　2900円
3　2400円
4　2100円

さくら どうぶつえん

● 時間
　午前 10：00 ～午後 17：00

● お金
　おとな（12 さい～）…800 円
　こども（6 さい～11 さい）…500 円
　※5 さいまでは　お金は　いりません。

今　かわいい　どうぶつの　赤ちゃんが　たくさん　います。
「ともだちランド」に　見に　来て　ください。

模擬試験 第1回

N5
聴解
（30分）

模擬試験 第1回

もんだい1

もんだい1では、はじめに　しつもんを　きいて　ください。それから　はなしを　きいて、もんだいようしの　1から4の　なかから、いちばん　いい　ものを　ひとつ　えらんで　ください。

れい

1
2
3 
4

1ばん

2ばん

1　2かい
2　4かい
3　6かい
4　8かい

3ばん

1. にほんご1、にほんご2
2. にほんご1、KANJI ABC
3. NIHONGO、JAPANESE WORK BOOK れんしゅうノート
4. NIHONGO、KANJI ABC、JAPANESE WORK BOOK れんしゅうノート

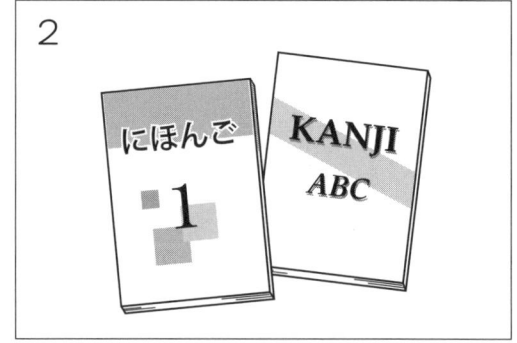

4ばん

1.
2. 
3.  ON…
4. OFF…

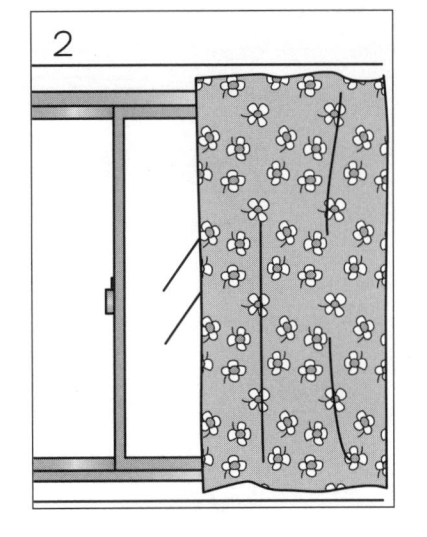

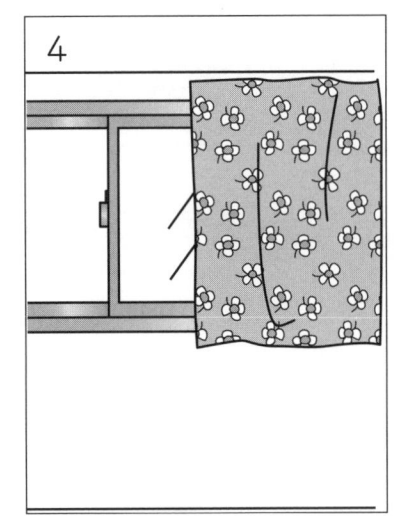

5ばん

聴解

6ばん

7ばん

1　1ばんホームの　でんしゃ
2　2ばんホームの　でんしゃ
3　3ばんホームの　でんしゃ
4　4ばんホームの　でんしゃ

もんだい2

11~18 CD1

もんだい2では、はじめに しつもんを きいて ください。それから はなしを きいて、もんだいようしの 1から4の なかから、いちばん いい ものを ひとつ えらんで ください。

れい

1　ふつか
2　みっか
3　よっか
4　いつか

1ばん

1　80えん
2　160えん
3　250えん
4　410えん

2ばん

1　2さつ
2　5さつ
3　7さつ
4　10さつ

3ばん

1　くるま
2　バス
3　しんかんせん
4　ひこうき

4ばん

1　8じ　30ぷん　ごろ
2　8じ　40ぷん　ごろ
3　8じ　50ぷん　ごろ
4　9じ　ごろ

5ばん

1　こんしゅうの　かようび
2　こんしゅうの　すいようび
3　らいしゅうの　かようび
4　らいしゅうの　すいようび

6ばん

1　こうえん
2　デパート
3　としょかん
4　えいがかん

もんだい3

もんだい3では、えを みながら しつもんを きいて ください。
➡ (やじるし)の ひとは なんと いいますか。1から3の なかから、いちばん いい ものを ひとつ えらんで ください。

れい

1ばん

2ばん

3ばん

聴解

4ばん

5ばん

もんだい4

もんだい4では、えなどが ありません。ぶんを きいて、1から3の なかから、いちばん いい ものを ひとつ えらんで ください。

― メモ ―

模擬試験
第2回

N5

げんごちしき（もじ・ごい）

（25ふん）

模擬試験 第2回

もんだい1 ＿＿＿の ことばは ひらがなで どう かきますか。
1・2・3・4から いちばん いい ものを ひとつ えらんで ください。

（れい） 教室に 学生が 3にん います。
　　1　きょうしつ　　2　きょしつ　　3　きしつ　　4　きょうしっつ

（かいとうようし）　（れい）　● ② ③ ④

1　銀行は 9じから 3じまでです。
　　1　きんこ　　2　ぎこう　　3　きんこう　　4　ぎんこう

2　わたしの 右に やまださんが います。
　　1　みり　　2　みき　　3　みぎ　　4　みに

3　えきまで 走って いきました。
　　1　はしって　　2　まって　　3　やって　　4　きって

4　まちの 北に こうえんが あります。
　　1　きだ　　2　きった　　3　きた　　4　きっだ

5　この へやは 暗いです。
　　1　せまい　　2　ひろい　　3　あかるい　　4　くらい

6 わたしの 父は 56さいです。
　1 ちっち　　2 ちっじ　　3 ちち　　4 ちじ

7 きょうは 十月十日です。
　1 どおか　　2 とうか　　3 とおか　　4 どうか

8 きのう 動物えんに いきました。
　1 とうぶつ　　2 どぶつ　　3 どうぶつ　　4 とっぶつ

9 外は さむい です。
　1 そど　　2 そと　　3 なが　　4 なか

10 ともだちに 電話を かけました。
　1 てんわ　　2 でんわ　　3 てわ　　4 でわ

もんだい2 ＿＿＿の ことばは どう かきますか。1・2・3・4から いちばん いい ものを ひとつ えらんで ください。

（れい）なつやすみは くにに かえります。
　1 固　　2 国　　3 図　　4 囲

　　　（かいとうようし）　（れい）① ● ③ ④

11 かれんだーを かべに かけました。
　　1 カレンダー　2 カレソダー　3 カレツダー　4 カルソダー

12 まいにち ほんを よみます。
　　1 話みます　2 読みます　3 語みます　4 見ます

13 こうえんで おとこのこが あそんで います。
　　1 女　　　2 易　　　3 另　　　4 男

14 この クラスには せいとが 25にん います。
　　1 25入　2 25火　3 25人　4 25大

15 ここに なまえを かいてください。
　　1 名前　　2 各筋　　3 各前　　4 名筋

16 せんげつ よっか がっこうを やすみました。
　　1 体みました　　　　2 什みました
　　3 何みました　　　　4 休みました

17 せんせいに てがみを かきました。
　　1 書きました　　　　2 画きました
　　3 著きました　　　　4 覚きました

18 きょうしつは ちいさいですが、きれいです。
　　1 小さい　2 山さい　3 川さい　4 大さい

もんだい3 (　　) に なにを いれますか。1・2・3・4から いちばん いい ものを ひとつ えらんで ください。

(れい) かんじを たくさん (　　)。
1 おぼえました　　　2 うたいました
3 しめました　　　　4 はいりました

(かいとうようし)　(れい) ● ② ③ ④

19 すみません、(　　) を けして ください。
1 エアメール　　　　2 エレベーター
3 エアコン　　　　　4 エスカレーター

20 おおきな こえで (　　)。
1 しめましょう　　　2 まちましょう
3 たちましょう　　　4 こたえましょう

21 つぎの えきで でんしゃを (　　) ください。
1 かりて　　2 おりて　　3 たって　　4 いって

22 スポーツの なかで やきゅうが いちばん (　　) です。
1 しずか　　2 じょうぶ　　3 べんり　　4 すき

23 ふうとうが 5 (　　) あります。
1 だい　　2 まい　　3 グラム　　4 かい

模擬試験 第2回

24 わたしの となりの （　　　）を かけた ひとは すずきさんです。

　　1　くつ　　　2　かぎ　　　3　めがね　　　4　でんわ

25 この くすりは あさごはんの あとに （　　　） ください。

　　1　のって　　2　たべて　　3　でかけて　　4　のんで

26 そとが うるさいですから、（　　　）を しめて ください。

　　1　みち　　　2　まち　　　3　はし　　　　4　まど

27 にがつ ようかは （　　　　　）です。

　　1　げつようび
　　2　かようび
　　3　すいようび
　　4　もくようび

2月						
日	月	火	水	木	金	土
	1	2	3	4	5	6
7	8	9	10	11	12	13
14	15	16	17	18	19	20
21	22	23	24	25	26	27
28						

28 いえの （　　　）に くるまが とまって います。

　　1　よこ
　　2　まえ
　　3　うしろ
　　4　うえ

もんだい4 ＿＿＿の ぶんと だいたい おなじ いみの ぶんが あります。1・2・3・4から いちばん いい ものを ひとつ えらんで ください。

(れい) わたしの たんじょうびは 4がつ ついたちです。
1 4がつ ついたちに たいしかんに いきました。
2 4がつ ついたちに けっこんしました。
3 4がつ ついたちに うまれました。
4 4がつ ついたちに しごとを はじめました。

(かいとうようし)　(れい) ① ② ● ④

29 くつしたを せんたくします。
1 くつしたを あらいます。
2 くつしたを きます。
3 くつしたを はきます。
4 くつしたを ならべます。

30 わたしは たなかさんに かさを かしました。
1 かさは たなかさんの ところに あります。
2 かさは わたしの ところに あります。
3 かさは としょかんに あります。
4 かさは せんせいの ところに あります。

31 さとうさんは　ＡＢＣでんきに　つとめています。
1　さとうさんは　ＡＢＣでんきに　すんでいます。
2　さとうさんは　ＡＢＣでんきで　はたらいています。
3　さとうさんは　ＡＢＣでんきに　よく　いきます。
4　さとうさんは　ＡＢＣでんきで　アルバイトを　して　います。

32 たなかさんの　おばあさんは　90さいです。
1　たなかさんの　おとうさんか　おかあさんの　いもうとさんは　90さいです。
2　たなかさんの　おとうさんか　おかあさんの　おとうさんは　90さいです。
3　たなかさんの　おとうさんか　おかあさんの　おかあさんは　90さいです。
4　たなかさんの　おとうさんか　おかあさんの　おにいさんは　90さいです。

33 けさ　ゆきが　ふりました。
1　きのうの　よる　ゆきが　ふりました。
2　きのうの　ひる　ゆきが　ふりました。
3　きょうの　あさ　ゆきが　ふりました。
4　きょうの　ひる　ゆきが　ふりました。

模擬試験 第2回

N5

言語知識(文法)・読解

（50分）

模擬試験 第2回

もんだい1 （　）に 何を 入れますか。1・2・3・4から いちばん いい ものを 一つ えらんで ください。

（れい） ここ（　　）きょうしつです。

1 に　　　2 を　　　3 は　　　4 や

（かいとうようし） (れい) ① ② ● ④

① これ（　　）リサさんの 本です。

1 で　　　2 を　　　3 に　　　4 は

② 木村「この りょうり、わたしが 作りました。田中さん（　　）食べて ください。」
田中「ありがとうございます。」

1 に　　　2 や　　　3 も　　　4 で

③ わたしたちは きのう 公園（　　）さんぽしました。

1 に　　　2 や　　　3 を　　　4 の

④ わたしは にほんごの じしょ（　　）ほしいです。

1 が　　　2 を　　　3 の　　　4 に

⑤ きょうしつ（　　）学生が 5人 います。

1 に　　　2 を　　　3 は　　　4 へ

6 じゅぎょうは 午後4時（　　）おわります。
　1　から　　　2　まで　　　3　に　　　4　が

7 これは 日本（　　）ちずです。
　1　の　　　2　で　　　3　と　　　4　か

8 ヤン「（　　）が 田中さんの かばんですか。」
　田中「これです。」
　1　どこ　　　2　何　　　3　どう　　　4　どれ

9 （びじゅつかんで）
　「ここで しゃしんを （　　）ください。」
　1　とらなくて　　　　　2　とらないで
　3　とらなかって　　　　4　とっていなくて

10 A「よく テレビを 見ますか。」
　B「いいえ。あまり（　　）。」
　1　見ます　　　　　2　見ません
　3　見ました　　　　4　見ませんでした

11 A「もう、しゅくだいは おわりましたか。」
　B「いいえ、まだ（　　）。」
　1　おわります　　　　2　おわりませんでした
　3　おわっています　　4　おわっていません

模擬試験 第2回

12 A「すてきな とけいですね。」
　B「ありがとうございます。たんじょう日に 母に（　　　）。」
　1　もらいました　　　　　　2　くれました
　3　あげました　　　　　　　4　やりました

13 子どもが ねていますから、（　　　）して ください。
　1　しずか　　2　しずかな　　3　しずかに　　4　しずかで

14 ごはんを 食べる（　　　）、手を あらいましょう。
　1　の前に　　2　前に　　3　のあとで　　4　あとで

15 けさは 時間が ありませんでしたから、おべんとうを（　　　）。
　1　つくります　　　　　　　2　つくりましょう
　3　つくりました　　　　　　4　つくりませんでした

16 青木「スーさん、明日 いっしょに カラオケに（　　　）。」
　スー「いいですね。行きましょう。」
　1　行きませんか　　　　　　2　行きませんでしたか
　3　行っていませんか　　　　4　行きましたか

言語知識（文法）・読解

模擬試験 第2回

もんだい2 ＿＿★＿＿に 入る ものは どれですか。1・2・3・4から いちばん いい ものを 一つ えらんで ください。

5分（1問50秒）

（もんだいれい）

　　A「その ＿＿＿ ＿＿＿ ＿★＿ ＿＿＿ 買いましたか。」
　　B「大学の 本屋で 買いました。」
　　1　は　　　2　本　　　3　で　　　4　どこ

（こたえかた）

1. ただしい 文を つくります。

　　A「その ＿＿＿ ＿＿＿ ＿★＿ ＿＿＿ 買いましたか。」
　　　　　 2 本　 1 は　 4 どこ　 3 で
　　B「大学の 本屋で 買いました。」

2. ＿★＿に 入る ばんごうを くろく ぬります。

　　（かいとうようし）　（れい）　① ② ③ ●

17　（きょうしつで）

　　学生「先生、テストは ボールペンで 書きますか。」
　　先生「いいえ。＿＿＿ ＿＿＿ ＿★＿ ＿＿＿。」
　　1　書いて　　2　ください　　3　で　　4　えんぴつ

18 木村「田中さん ＿＿ ＿＿ ★ ＿＿ は 何だい ありますか。」
　　田中「2だい あります。」
　　1 に　　　2 の　　　3 パソコン　　4 家

19 田中「この 本は どうでしたか。」
　　リサ「かんじ ＿＿ ＿＿ ★ ＿＿ 。」
　　1 わかりませんでした　　2 むずかしくて
　　3 が　　　　　　　　　　4 よく

20 （ホテルで）
　　高橋「この 近くに ＿＿ ＿＿ ★ ＿＿ ありませんか。」
　　ホテルの 人「ええ。駅の 前に ありますよ。「フラワー」という レストランです。」
　　1 おいしい　2 は　　3 レストラン　4 やすくて

21 山田「カルロスさんの 国 ＿＿ ＿＿ ★ ＿＿ で 何時間 かかりますか。」
　　カルロス「8時間ぐらい かかります。」
　　1 ひこうき　2 まで　　3 から　　4 日本

模擬試験 第2回

もんだい3 　22 から 26 に 何を 入れますか。ぶんしょうの いみを かんがえて、1・2・3・4から いちばん いい ものを 一つ えらんで ください。

（6分（1問70秒））

　日本で べんきょうして いる 学生が「せんしゅうの にちよう日」の ぶんしょうを 書いて、クラスの みんなの 前で 読みました。

(1) ワンさんの ぶんしょう

　わたしは せんしゅうの にちよう日に 友だちと スーパーへ 行きました。その スーパーは とても やすかったです。みかんは 10こ 22 100円でした。わたしは、みかんや たまごや やさいを かいました。 23 、家に 帰って、りょうりを つくりました。その スーパーは、駅の 前に あります。みなさんも ぜひ 行ってください。

(2) カルロスさんの ぶんしょう

　先週の にちよう日は 雨でしたから、どこへも 24 。家で ひとりで 本を よみました。それは 友だちが 25 本です。とても おもしろかったので、ぜんぶ よみました。本を 読んでから、ずっと テレビを 見ましたが、つまらなかったです。
　来週の にちよう日は、友だちと 26 行きたいです。

22

1 は   2 で   3 に   4 の

23

1 でも   2 それから 3 それに   4 では

24

1 行きます   2 行きません
3 行きました   4 行きませんでした

25

1 あげました   2 くれました
3 あげた   4 くれた

26

1 あそんで   2 あそばないで
3 あそびに   4 あそんでから

もんだい4 つぎの (1)から (3)の ぶんしょうを 読んで、しつもんに こたえて ください。こたえは、1・2・3・4から いちばん いい ものを 一つ えらんで ください。

(1)

　わたしは 来週、りょうしんと 3人で 大阪へ 行きます。4月から 弟が 大阪に 住んでいますから、会いに 行きます。弟は そうじが きらいですから、へやは たぶん きたないでしょう。

[27]「わたし」は 来週、何を しますか。
1　弟と 大阪に 行きます。
2　弟の へやを そうじします。
3　りょうしんと 大阪に 行きます。
4　りょうしんと いっしょに 住みます。

(2)

きのう 母と デパートに 行きました。母は 黒い くつを 買いました。わたしはいつも ズボンを はきますが、かわいい スカートを 買いました。シャツも 買いましたが、ちょっと 大きかったです。

28 「わたし」は、何を 買いましたか。

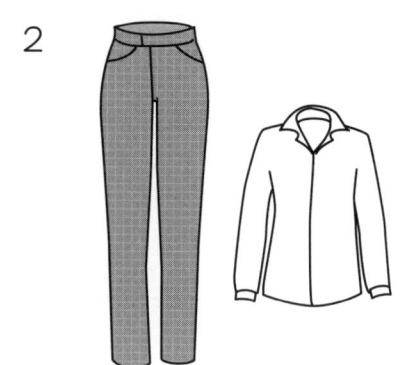

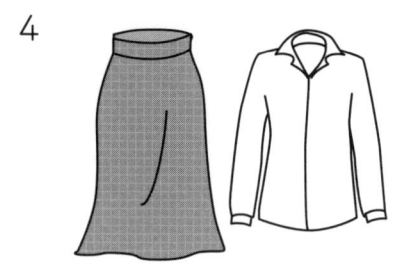

1

2

3

4

(3)

さくらさんは あきこさんに メールを 送りました。

明日の パーティー

あきこさんへ
おはしや 紙の コップは、きのう 買いました。ジュースと お茶は これから 買いに 行きます。明日の 朝、わたしと ももこさんは ケーキを 作りますから、あきこさんは お花を 買ってきて ください。12時までに 来て ください。

さくら

---

[29] いつ 飲み物を 買いに 行きますか。

1 きのう
2 今日
3 明日の 朝
4 明日の 昼

言語知識（文法）
・読解

もんだい5 つぎの ぶんしょうを 読んで、しつもんに こたえて ください。こたえは、1・2・3・4から いちばん いいものを 一つ えらんで ください。

　先週の 日曜日、田中さんの 家に あそびに 行きました。そして、お昼に いっしょに ベトナムりょうりを 作りました。田中さんは、昔 ベトナムに 住んでいた ことが ありますから、ベトナムりょうりを 作る ことが できます。私は、ベトナムりょうりは 好きですが、作る ことは できませんから、田中さんに ならいました。田中さんは「久しぶりに 作りました」と 言いましたが、とても 上手でした。おいしかったです。来週の 31日は 母の たんじょう日です。母は 外国の りょうりが 好きですから、今年は ベトナムりょうりを 作ります。また、母は りょこうが 大好きですから、来年は いっしょに ベトナムに りょこうに 行きたいです。

[30] 田中さんは どうして ベトナムりょうりを 作る ことが できますか。

1　ベトナムに りょこうに行った から
2　ベトナムに 住んでいたから
3　レストランで はたらいていた から
4　毎日 作るから

[31]「わたし」は 来週 どう しますか。

1　田中さんの 家に 行きます。
2　ベトナムに りょこうに 行きます。
3　ベトナムりょうりの レストランに 行きます。
4　家ぞくに ベトナムりょうりを 作ります。

もんだい6　右の　ページを　見て、下の　しつもんに　こたえて　ください。
こたえは、1・2・3・4から　いちばん　いい　ものを　一つ　えらんで　ください。

32 スポーツクラブに　しゅう　2回　行きたいです。しごとは　げつよう日から　きんよう日までの　朝10時から　ゆうがた6時半までです。かいしゃから　スポーツクラブまで　15分かかります。どよう日は　えの　きょうしつが　ありますから、だめです。どの　スポーツをしますか。

1　すいえい
2　テニス
3　ダンス
4　ゴルフ

ふじスポーツクラブ

いっしょに スポーツを しませんか！

※よるの 時間も ありますから、しごとが おわった あとでも だいじょうぶです。

● 4月からの よるの レッスン（1回＝2時間）

すいえい	火・木	午後7：00～午後9：00
テニス	月・水・金	午後6：30～午後8：30
ダンス	月・金	午後6：00～午後8：00
ゴルフ	土	午後8：00～午後10：00

◎好きな スポーツ、したい スポーツを えらんで、お電話ください！

TEL：012－345－6789

模擬試験 第2回
だい２かい

N5

聴解
ちょうかい

（30分）
ぷん

もんだい1

もんだい1では、はじめに しつもんを きいて ください。それから はなしを きいて、もんだいようしの 1から4の なかから、いちばん いい ものを ひとつ えらんで ください。

れい

1　2 　3 　4

1ばん

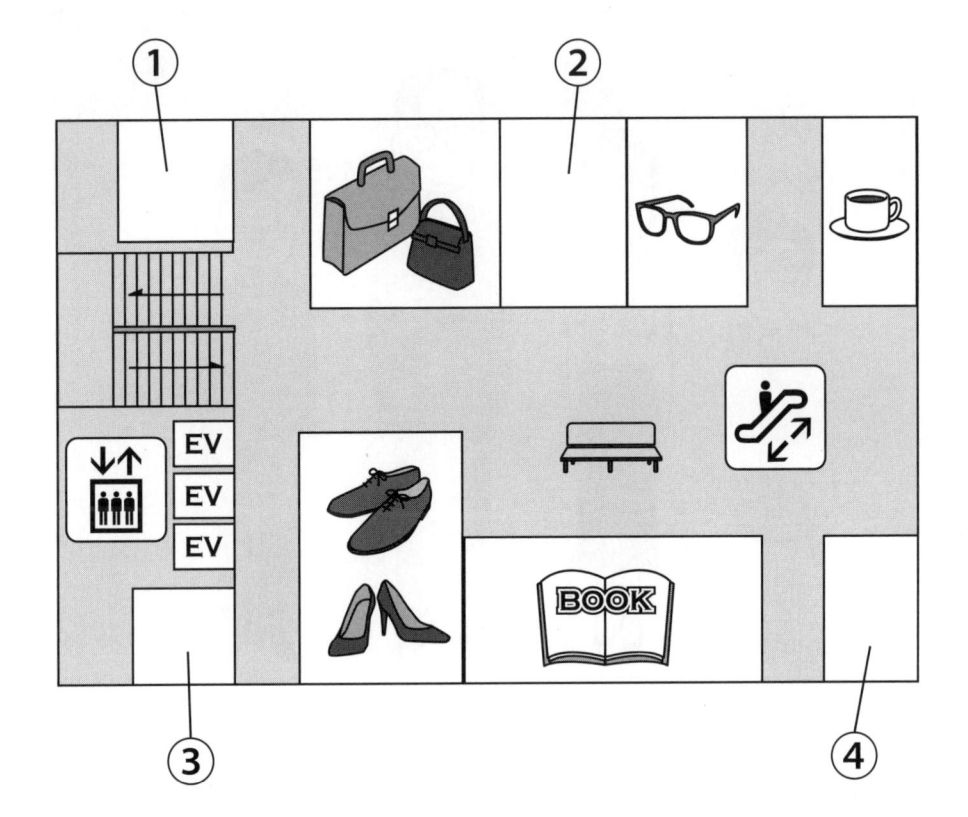

2ばん

1　1ページ
2　2ページ
3　3ページ
4　4ページ

3ばん

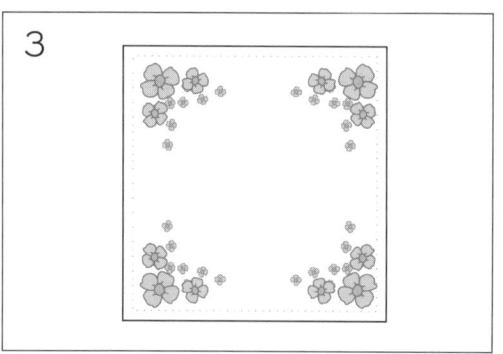

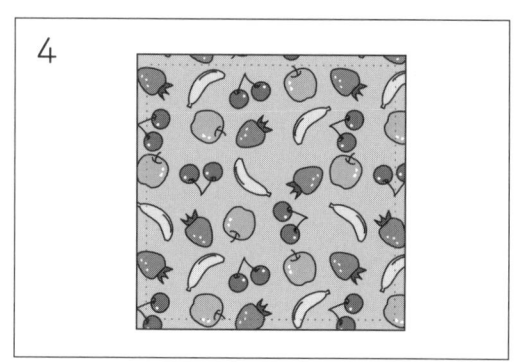

4ばん

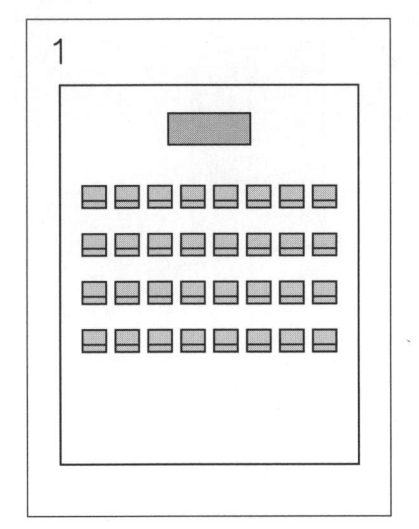

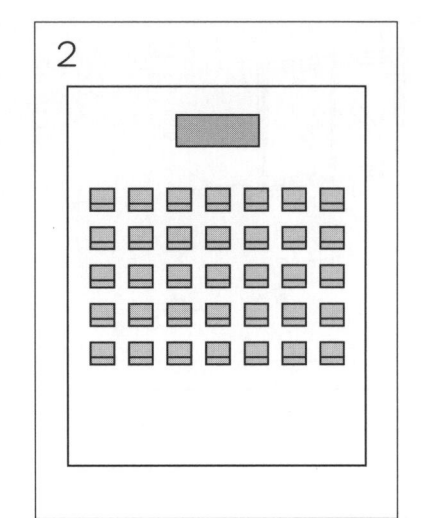

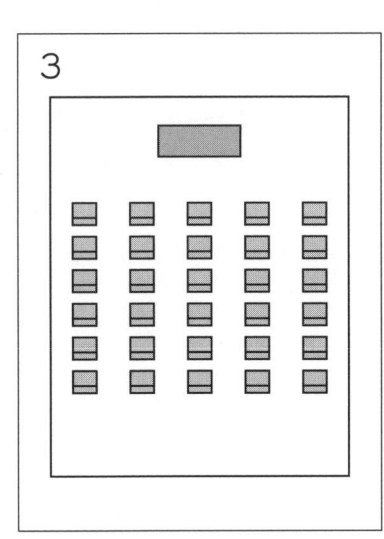

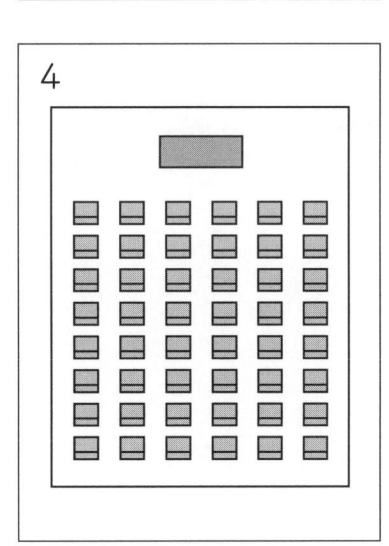

5ばん

6ばん

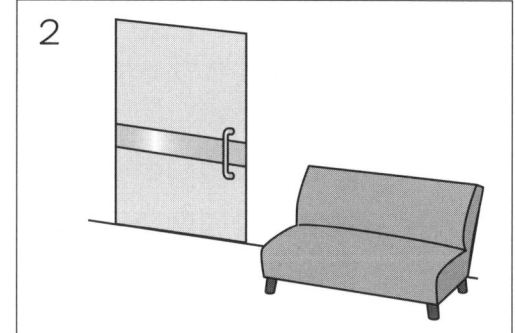

7ばん
1　9じ　はん　ごろ
2　10じ　ごろ
3　11じ　ごろ
4　11じ　はん　ごろ

もんだい2

もんだい2では、はじめに しつもんを きいて ください。それから はなしを きいて、もんだいようしの 1から4の なかから、いちばん いい ものを ひとつ えらんで ください。

れい

1 ふつか
2 みっか
3 よっか
4 いつか

1ばん

1 1がつ 4か
2 4がつ 11にち
3 7がつ 4か
4 11がつ 11にち

2ばん

1 しょくどう
2 きょうしつ
3 みせ
4 こうえん

3ばん

1　ぶたにくの　りょうり
2　ぎゅうにくの　りょうり
3　とりにくの　りょうり
4　さかなの　りょうり

4ばん

1　ひとり
2　ふたり
3　さんにん
4　よにん

5ばん

1　えいがかん
2　びょういん
3　ゆうびんきょく
4　としょかん

6ばん

1　ジュース
2　コーヒー
3　おちゃ
4　こうちゃ

もんだい3

もんだい3では、えを みながら しつもんを きいて ください。
➡ (やじるし)の ひとは なんと いいますか。1から3の なかから、いちばん いい ものを ひとつ えらんで ください。

れい

1ばん

模擬試験
第2回

2ばん

3ばん

？とうきょう

4ばん

5ばん

もんだい4

もんだい4では、えなどが ありません。ぶんを きいて、1から3の なかから、いちばん いい ものを ひとつ えらんで ください。

― メモ ―

模擬試験
第3回

N5

げんごちしき(もじ・ごい)

(25ふん)

模擬試験 第3回

もんだい1 _____の ことばは ひらがなで どう かきますか。
1・2・3・4から いちばん いい ものを ひとつ えらんで ください。

(れい) <u>教室</u>に 学生が 3にん います。
　　1 きょうしつ　　2 きょしつ　　3 きしつ　　4 きょうしっつ

　　(かいとうようし)　(れい)　● ② ③ ④

1　<u>10年</u>まえに にほんへ きました。
　　1 じゅうねん　　2 じゅねん　　3 じゅっねん　　4 じゅうね

2　えんぴつの <u>先</u>を ほそく します。
　　1 せん　　2 さき　　3 かど　　4 うえ

3　<u>茶色</u>の くつを かいました。
　　1 じゃいろ　　　　　2 ちゃっいろ
　　3 じゃっいろ　　　　4 ちゃいろ

4　<u>毎日</u> にほんごを べんきょうしています。
　　1 まえにち　　2 まいじつ　　3 まいりち　　4 まいにち

5　<u>白い</u> くつしたを かいました。
　　1 あおい　　2 くろい　　3 しろい　　4 あかい

6 これは 大切な ものです。
1 だいせつ
2 だいせっつ
3 たいせつ
4 たいせっつ

7 あの 女の子は 小学生です。
1 じょがくせい
2 じょうがくせ
3 しょうがくせい
4 しょがくせ

8 名前を おしえて ください。
1 たうえ　　2 なうえ　　3 たまえ　　4 なまえ

9 わたしの へやは 明るいです。
1 あがるい　　2 あっかるい　　3 あかるっい　　4 あかるい

10 上着を ぬぎました。
1 うえき　　2 うえぎ　　3 うわき　　4 うわぎ

もんだい2 ＿＿＿の ことばは どう かきますか。1・2・3・4から いちばん いい ものを ひとつ えらんで ください。

(れい) なつやすみは <u>くに</u>に かえります。

1 固　　　2 国　　　3 図　　　4 囲

(かいとうようし) (れい) ① ● ③ ④

11 <u>たくしー</u>に のって かえりました。

1 クタシー　　2 タクソー　　3 クタンー　　4 タクシー

12 まいばん テレビを <u>みます</u>。

1 目ます　　2 見ます　　3 先ます　　4 聞ます

13 この パンは いっこ <u>ひゃく</u>えんです。

1 百　　　2 白　　　3 日　　　4 自

14 これから がっこうへ <u>いきます</u>。

1 往きます　2 征きます　3 行きます　4 従きます

15 <u>ながい</u>じかん バスに のりました。

1 長い　　　2 中い　　　3 広い　　　4 遠い

16 きょうは <u>てんき</u>が いいです。

1 空気　　　2 天気　　　3 天气　　　4 大気

[17] <u>か</u>ようびは 休みです。

1 水　　　2 木　　　3 大　　　4 火

[18] くにの <u>はは</u>に でんわを かけました。

1 母　　　2 父　　　3 毎　　　4 田

模擬試験 第3回

もんだい3 （　）に　なにを　いれますか。1・2・3・4から　いちばん　いい　ものを　ひとつ　えらんで　ください。

(れい)　かんじを　たくさん　（　　　）。
1　おぼえました　　　　2　うたいました
3　しめました　　　　　4　はいりました

(かいとうようし)　(れい)　● ② ③ ④

19　きれいな　（　　）を　かいました。
1　プール　　2　ハンカチ　　3　スピーチ　　4　トイレ

20　まっすぐ　いって、はしを　（　　　）。
1　いきます　　　　　2　わたります
3　わかります　　　　4　ならびます

21　ふうとうに　きってを　（　　　）ください。
1　はって　　2　きって　　3　とって　　4　やって

22　すずきさんの　いえの　いぬは　とても　（　　　）です。
1　からい　　2　あたらしい　　3　かわいい　　4　うすい

23　とりにくを　500　（　　）　かいました。
1　だい　　2　メートル　　3　グラム　　4　ページ

24 みちが わからない ときは（　　）で ききましょう。
1　こうばん　　　　　　　2　としょかん
3　だいどころ　　　　　　4　おてあらい

25 あなたの でんわばんごうを（　　）ください。
1　はなして　　2　おきて　　3　おしえて　　4　とんで

26 みんな（　　）を さして います。
1　スカート　　2　かさ　　3　コート　　4　ぼうし

27 まいあさ ぎゅうにゅうを のんで パンを（　　）たべます。
1　いっぽん
2　にほん
3　ひとつ
4　ふたつ

28 やまだせんせいは たなかさんの（　　）に います。
1　となり
2　まえ
3　よこ
4　うしろ

もんだい4　＿＿＿の ぶんと だいたい おなじ いみの ぶんが あります。1・2・3・4から いちばん いい ものを ひとつ えらんで ください。

5分（1問60秒）

(れい)　わたしの たんじょうびは 4がつついたちです。
1　4がつついたちに たいしかんに いきました。
2　4がつついたちに けっこんしました。
3　4がつついたちに うまれました。
4　4がつついたちに しごとを はじめました。

(かいとうようし)　(れい)　① ② ● ④

29　あまい おかしは きらいです。
1　あまい おかしは きれいです。
2　あまい おかしは すきです。
3　あまい おかしは きれいではありません。
4　あまい おかしは すきではありません。

30　おとといがっこうを やすみました。
1　ふつかまえ がっこうを やすみました。
2　みっかまえ がっこうを やすみました。
3　よっかまえ がっこうを やすみました。
4　いつかまえ がっこうを やすみました。

31 ほっかいどうの おばさんは、ちちの 3つ うえです。

1 ほっかいどうの おばさんは ちちの あにです。
2 ほっかいどうの おばさんは ちちの あねです。
3 ほっかいどうの おばさんは ちちの おとうとです。
4 ほっかいどうの おばさんは ちちの いもうとです。

32 この ケーキは まずいです。

1 この ケーキは あまくないです。
2 この ケーキは たかくないです。
3 この ケーキは やすくないです。
4 この ケーキは おいしくないです。

33 さとうを ちょっと いれてください。

1 さとうを たくさん いれてください。
2 さとうを すぐに いれてください。
3 さとうを もういっぱい いれてください。
4 さとうを すこし いれてください。

模擬試験
第3回

N5

言語知識(文法)・読解

(50分)

模擬試験 第3回

もんだい1 （　）に 何を 入れますか。1・2・3・4から いちばん いい ものを 一つ えらんで ください。

（れい）ここ（　）きょうしつです。

1　に　　　　2　を　　　　3　は　　　　4　や

（かいとうようし）　（れい）　① ② ● ④

1　ここは 田中さん（　）うちです。

1　の　　　　2　に　　　　3　を　　　　4　へ

2　わたしは 毎日 ひとり（　）ごはんを たべます。

1　と　　　　2　で　　　　3　を　　　　4　が

3　東京まで バス（　）行きます。

1　を　　　　2　に　　　　3　て　　　　4　で

4　A「すみません。トイレ（　）どこに ありますか。」
　　B「あそこです。」

1　は　　　　2　と　　　　3　に　　　　4　へ

5　いえの 前（　）家ぞくと しゃしんを とりました。

1　に　　　　2　が　　　　3　へ　　　　4　で

6 のどが かわきましたから、水が (　　)。
1 のみます　　　　　　　2 のみました
3 のみたいです　　　　　4 のまないです

7 A「うちから 会社まで (　　) かかりますか。」
　B「30分 かかります。」
1 どのくらい　2 どう　　3 いつ　　4 いくら

8 父は 毎朝 コーヒーを (　　) ながら、新聞を 読みます。
1 のむ　　2 のみ　　3 のんで　　4 のまない

9 (きょうしつで)
先生「こたえが (　　) ときは、わたしに 聞いて ください。」
学生「はい。」
1 わかったの　　　　2 わかって
3 わかりません　　　4 わからない

10 これは わたしが きのう (　　) くつです。
1 買います　2 買う　3 買いました　4 買った

11 きのうは あめでしたから、どこへも (　　)。
1 行きました　　　　2 行きませんでした
3 来ました　　　　　4 来ませんでした

模擬試験 第3回

12 わたしは くだものが 好きです。りんごや みかん（　）を よく 食べます。

1　も　　　2　など　　　3　と　　　4　ぐらい

13 よく きこえませんから、ラジオの おとを おおきく（　　）。

1　しました　　2　なりました　　3　ありました　　4　おきました

14 A「きのうの ばん から ずっと 雨が（　　）ね。」
　 B「ええ。そとへ 出ることが できませんね。」

1　ふります　　　　　　　2　ふっています
3　ふりませんでした　　　4　ふりましょう

15 木村「田中さん、（　　）は キムさんです。」
　 キム「はじめまして。キムです。」
　 田中「田中です。どうぞ よろしく。」

1　これ　　　2　こちら　　　3　この　　　4　ここ

16 A「すみませんが、ちょっと てつだって くださいませんか。」
　 B「（　　）。」

1　ありがとうございます　　2　ええ、いいですよ
3　いいえ、けっこうです　　4　どうも

言語知識（文法）・読解

だい3かい

ぶんぽう

模擬試験 第3回

もんだい2 ＿＿★＿＿に 入る ものは どれですか。1・2・3・4から いちばん いい ものを 一つ えらんで ください。

5分(1問50秒)

（もんだいれい）

　A「その ＿＿＿ ＿＿＿ ＿★＿ ＿＿＿ 買いましたか。」
　B「大学の 本屋で 買いました。」
　　1 は　　　2 本　　　3 で　　　4 どこ

（こたえかた）

1. ただしい 文を つくります。

　　A「その ＿＿＿ ＿＿＿ ＿★＿ ＿＿＿ 買いましたか。」
　　　　2 本　　1 は　　4 どこ　　3 で
　　B「大学の 本屋で 買いました。」

2. ＿★＿に 入る ばんごうを くろく ぬります。

　　（かいとうようし）　（れい）① ② ③ ●

---

17 （学校で）
　先生「田中さんは まだ ＿＿＿ ＿＿＿ ＿★＿ ＿＿＿。」
　学生「いいえ、もう 帰りました。」
　　1 に　　　2 います　　　3 きょうしつ　　　4 か

18 (お店で)

石川 「この くつは ちょっと 大きいです。___ ___ ___★ ___ ありませんか。」

店の 人 「では、こちらは いかがでしょうか。」

1 は　　　2 小さい　　　3 もう少し　　　4 の

19 A 「今日 ___ ___ ___★ ___ おわりましたか。」

B 「いいえ、まだです。」

1 しゅくだい　　2 の　　3 もう　　4 は

20 A 「スポーツ ___ ___ ___★ ___ が いちばん 好きですか。」

B 「サッカーが いちばん 好きです。」

1 中　　2 で　　3 の　　4 何

21 田中 「リサさんは ___ ___ ___★ ___、どう しますか。」

リサ 「じしょで しらべます。」

1 ことば　　2 わからない　　3 が　　4 時

模擬試験 第3回

もんだい3 22 から 26 に 何を 入れますか。ぶんしょうの いみを かんがえて、1・2・3・4から いちばん いい ものを 一つ えらんで ください。

(6分(1問70秒))

　日本で べんきょうして いる 学生が「プレゼント」の ぶんしょうを 書いて、クラスの みんなの 前で 読みました。

(1) ユリさんの ぶんしょう

　わたしが 10さいに なったとき、母 22 の たんじょう日プレゼントは 一さつの 本でした。とても おもしろい 本で、すぐに 23 読んで、それから、また はじめから 読みました。私は ねる 24 、よく その 本を 読みました。その 本は 今も 私の へやに あります。ときどき 読みます。

(2) サムさんの ぶんしょう

　きょねんの たんじょう日に つまが ネクタイを 25 。青い ネクタイです。わたしは ときどき その ネクタイを して 会社に 行きます。この間 会社の 人が「いい ネクタイですね」と 言いました。わたしは とても うれしかったです。来月は つまの たんじょう日です。つまの たんじょう日に わたしも いい プレゼントを 26 。

22
  1 と　　　2 へ　　　3 から　　　4 まで

23
  1 少し　　　2 ちょっと　　　3 ひとつ　　　4 ぜんぶ

24
  1 まえに　　　2 あとで　　　3 から　　　4 あいだ

25
  1 あげました　　　　2 くれました
  3 もらいました　　　4 やりました

26
  1 あげました　　　　2 もらってください
  3 もらいたい　　　　4 あげたいです

もんだい4 つぎの (1)から (3)の ぶんしょうを 読んで、しつもんに こたえて ください。こたえは、1・2・3・4から いちばん いい ものを 一つ えらんで ください。

(1)

　わたしは 毎日 しごとが いそがしくて、おそく かえりますから、休みの 日に よく そうじや せんたくを します。でも、ほんとうは 友だちと えいがを 見に行ったり、しょくじに 行ったり したいです。

27 「わたし」は 日よう日に よく 何を しますか。
1　しごとに 行きます。
2　友だちと えいがを 見ます。
3　食べに 行きます。
4　そうじを します。

(2)

　このしゃしんのいちばん右にいる人はわたしのあにです。あにのとなりにおとうとがいます。わたしのとなりにははがいます。ははのとなりにいる人がちちです。

28 しゃしんはどれですか。

1

2

3

4

(3)
川島さんの 机の 上に、田中さん からの メモが あります。

川島さん

　ふじ電気の 林さんから 11時に 電話が ありました。
「今日は これから ずっと かいぎですから、電話が できません。
メールを 送りますから、あとで 読んで ください。」と 言っていました。

田中

---

[29] 川島さんは メモを 読んだあと、どう しますか。

1　ふじ電気へ 行きます。
2　林さんに 電話を します。
3　田中さんに メールを 書きます。
4　林さんからの メールを 読みます。

言語知識（文法）・読解

だい3かい

どっかい

もんだい5 つぎの ぶんしょうを 読んで、しつもんに こたえて ください。こたえは、1・2・3・4から いちばん いいものを 一つ えらんで ください。

　わたしの いちばんの 友だちは 青木さんです。大学の パーティーで、はじめて あいました。青木さんと わたしは たんじょう日が おなじで、すんでいる ところも ちかいですから、すぐ 友だちに なりました。
　わたしも 青木さんも うたを うたうのが すきです。ときどき 二人で カラオケに 行きます。わたしは 英語の うたしか しりませんが、青木さんは 日本語の うたと 英語の うたと 両方 うたいます。英語の うたは とても 上手です。わたしも 日本語の うたを うたいたいですから、今 青木さんに CDを かりて、おぼえています。
　青木さんは 来月から 一年間、アメリカへ 英語の べんきょうに 行きます。英語の 先生に なりたいと 言っていました。わたしは 日本に いますから、ちょっと さびしいです。ときどき メールを 書いて くださいと 言いました。

30 わたしと 青木さんは 何が 同じですか。
1 大学の クラス
2 すきな うた
3 うまれた 日
4 すんでいる アパート

31 青木さんは 何が 上手ですか。
1 英語を 話す こと
2 英語の うたを うたう こと
3 英語を 教える こと
4 英語を 書く こと

もんだい6 右の ページを 見て、下の しつもんに こたえて ください。
こたえは、1・2・3・4から いちばん いい ものを 一つ えらんで ください。

32 ワンさんは 明日 原さんと えいがを 見に 行きます。ワンさんは お昼まで じゅぎょうが あります。原さんは じゅぎょうが ありませんが、午後4時から 午後9時まで アルバイトが あります。学校から えいがかんまで じてんしゃで 20分 くらいで、えいがかんから アルバイトの 店まで じてんしゃで 15分 くらいです。

二人は どの えいがを 見ますか。
1　東京 25時
2　おんがくの 森
3　海の 上の レストラン
4　赤い くつ

えいがの時間

東京25時	9:50 〜 11:45	12:05 〜 14:25		
おんがくの森	17:20 〜 18:55	19:30 〜 21:05		
海の上のレストラン	10:00 〜 12:00	14:00 〜 16:00	18:00 〜 20:00	
赤いくつ	9:30 〜 11:05	11:30 〜 13:05	13:40 〜 15:15	15:50 〜 17:25

模擬試験
第3回

N5

聴解

（30分）

模擬試験 第3回

もんだい1

もんだい1では、はじめに しつもんを きいて ください。それから はなしを きいて、もんだいようしの 1から4の なかから、いちばん いい ものを ひとつ えらんで ください。

れい

1
2 
3 
4

1ばん

2ばん
1　12じ
2　12じ　はん
3　1じ　はん
4　2じ

3ばん

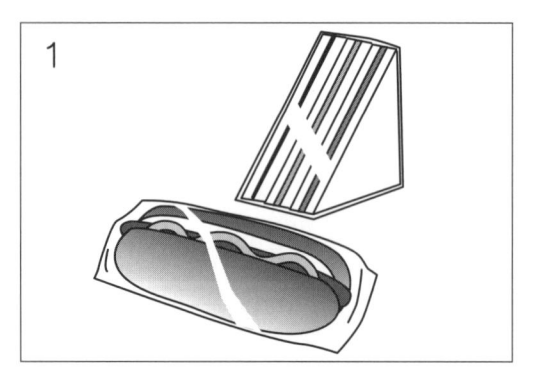

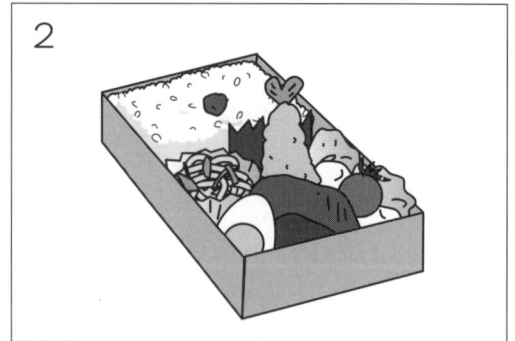

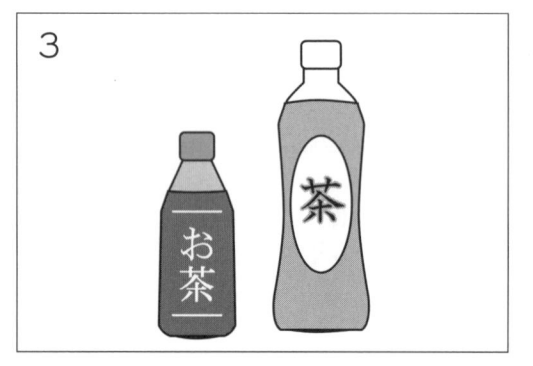

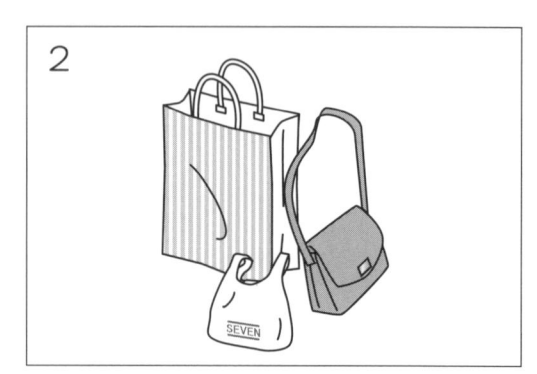

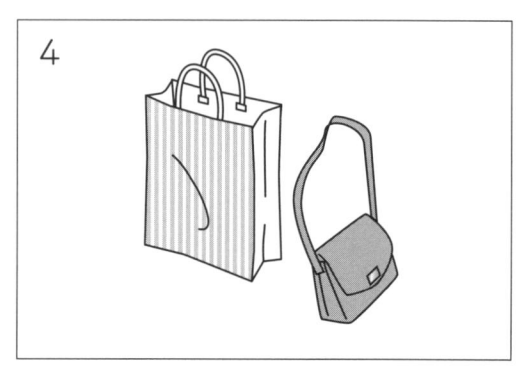

1.
2.
3.
4.

4ばん

1.
2.
3.
4.

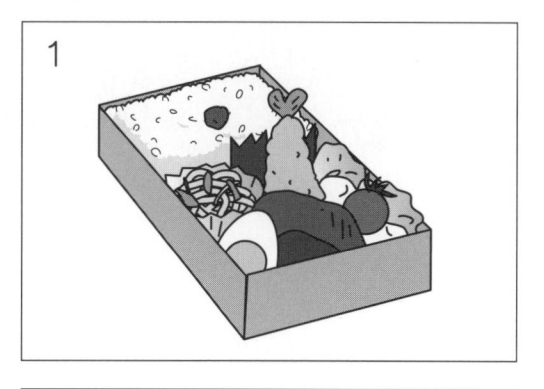

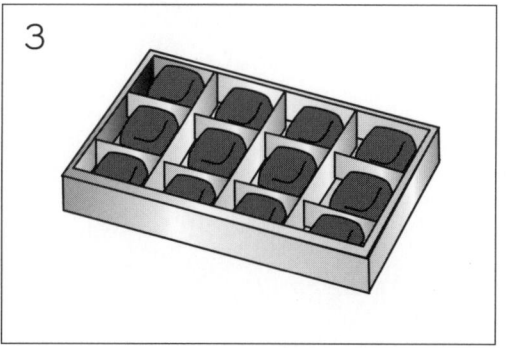

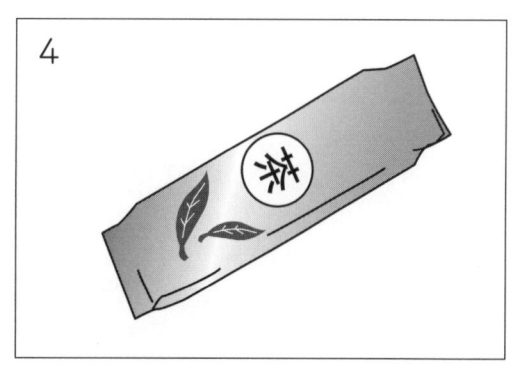

5ばん

1
2
3
4

6ばん

1
2
3
4

7ばん

1　バスで　いきます。
2　でんしゃで　いきます。
3　じてんしゃで　いきます。
4　あるいて　いきます。

もんだい2

もんだい2では、はじめに しつもんを きいて ください。それから はなしを きいて、もんだいようしの 1から4の なかから、いちばん いい ものを ひとつ えらんで ください。

れい

1　ふつか
2　みっか
3　よっか
4　いつか

1ばん

1　5ふん
2　10ぷん
3　15ふん
4　30ぷん

2ばん

1　ぼうし
2　ネクタイ
3　ペン
4　はな

3ばん

1　げつようびと　すいようびと　どようびと　にちようび
2　げつようびと　すいようびと　どようび
3　げつようびと　すいようび
4　どようびと　にちようび

4ばん

1　あね
2　いもうと
3　おとうと
4　はは

5ばん

1　こんしゅうの　かようびの　ごぜん
2　こんしゅうの　もくようびの　ごご
3　らいしゅうの　かようびの　ごぜん
4　らいしゅうの　もくようびの　ごご

6ばん

1　サッカー
2　やきゅう
3　すいえい
4　ジョギング

もんだい3

もんだい3では、えを みながら しつもんを きいて ください。
➡ (やじるし)の ひとは なんと いいますか。1から3の なかから、いちばん いい ものを ひとつ えらんで ください。

れい

1ばん

2ばん

3ばん

4ばん

5ばん

もんだい4

もんだい4では、えなどが ありません。ぶんを きいて、1から3の なかから、いちばん いい ものを ひとつ えらんで ください。

― メモ ―

日本語能力試験 完全模試 N5 かいとうようし
第1回 げんごちしき (もじ・ごい)

なまえ
Name

〈ちゅうい Notes〉

1. くろいえんぴつ(HB、No.2)でかいてください。
   (ペンやボールペンではかかないでください)
   Use a black medium soft (HB or No.2) pencil.
   (Do not use any kind of pen.)
2. かきなおすときは、けしゴムできれいにけしてください。
   Erase any unintended marks completely.
3. きたなくしたり、おったりしないでください。
   Do not soil or bend this sheet.
4. マークれい Marking examples

よいれい Correct Example	わるいれい Incorrect Examples
●	○ ◎ ⊙ ◐ ○ ⦸

もんだい 1

1	①	②	③	④
2	①	②	③	④
3	①	②	③	④
4	①	②	③	④
5	①	②	③	④
6	①	②	③	④
7	①	②	③	④
8	①	②	③	④
9	①	②	③	④
10	①	②	③	④

もんだい 2

11	①	②	③	④
12	①	②	③	④
13	①	②	③	④
14	①	②	③	④
15	①	②	③	④
16	①	②	③	④
17	①	②	③	④
18	①	②	③	④

もんだい 3

19	①	②	③	④
20	①	②	③	④
21	①	②	③	④
22	①	②	③	④
23	①	②	③	④
24	①	②	③	④
25	①	②	③	④
26	①	②	③	④
27	①	②	③	④
28	①	②	③	④

もんだい 4

29	①	②	③	④
30	①	②	③	④
31	①	②	③	④
32	①	②	③	④
33	①	②	③	④

日本語能力試験 完全模試 N5 かいとうようし

第1回 げんごちしき（ぶんぽう）・どっかい

なまえ Name

〈ちゅうい Notes〉

1. くろいえんぴつ（HB、No.2）でかいてください。
   （ペンやボールペンではかかないでください）
   Use a black medium soft (HB or No.2) pencil.
   (Do not use any kind of pen.)
2. かきなおすときは、けしゴムできれいにけしてください。
   Erase any unintended marks completely.
3. きたなくしたり、おったりしないでください。
   Do not soil or bend this sheet.
4. マークれい Marking examples

よいれい Correct Example	わるいれい Incorrect Examples
●	○ ◐ ◑ ◎ ⦸

もんだい 1

1	①	②	③	④
2	①	②	③	④
3	①	②	③	④
4	①	②	③	④
5	①	②	③	④
6	①	②	③	④
7	①	②	③	④
8	①	②	③	④
9	①	②	③	④
10	①	②	③	④
11	①	②	③	④
12	①	②	③	④
13	①	②	③	④
14	①	②	③	④
15	①	②	③	④
16	①	②	③	④

もんだい 2

17	①	②	③	④
18	①	②	③	④
19	①	②	③	④
20	①	②	③	④
21	①	②	③	④

もんだい 3

22	①	②	③	④
23	①	②	③	④
24	①	②	③	④
25	①	②	③	④
26	①	②	③	④

もんだい 4

27	①	②	③	④
28	①	②	③	④
29	①	②	③	④

もんだい 5

30	①	②	③	④
31	①	②	③	④

もんだい 6

32	①	②	③	④

日本語能力試験 完全模試 N5 かいとうようし

第1回 ちょうかい

なまえ
Name

〈ちゅうい Notes〉

1. くろいえんぴつ(HB、No.2)でかいてください。
 (ペンやボールペンではかかないでください。)
 Use a black medium soft (HB or No.2) pencil.
 (Do not use any kind of pen.)
2. かきなおすときは、けしゴムできれいにけしてください。
 Erase any unintended marks completely.
3. きたなくしたり、おったりしないでください。
 Do not soil or bend this sheet.
4. マークれい Marking examples

よいれい Correct Example	わるいれい Incorrect Examples
●	⊘ ⊗ ◯ ◐ ⊖ ●

もんだい 1

れい	①	●	③	④
1	①	②	③	④
2	①	②	③	④
3	①	②	③	④
4	①	②	③	④
5	①	②	③	④
6	①	②	③	④
7	①	②	③	④

もんだい 2

れい	①	●	③	④
1	①	②	③	④
2	①	②	③	④
3	①	②	③	④
4	①	②	③	④
5	①	②	③	④
6	①	②	③	④

もんだい 3

れい	①	●	③
1	①	②	③
2	①	②	③
3	①	②	③
4	①	②	③
5	①	②	③

もんだい 4

れい	①	●	③
1	①	②	③
2	①	②	③
3	①	②	③
4	①	②	③
5	①	②	③
6	①	②	③

日本語能力試験 完全模試 N5 かいとうようし
第2回 げんごちしき (もじ・ごい)

なまえ
Name

〈ちゅうい Notes〉

1. くろいえんぴつ(HB、No.2)でかいてください。
   (ペンやボールペンではかかないでください)
   Use a black medium soft (HB or No.2) pencil.
   (Do not use any kind of pen.)
2. かきなおすときは、けしゴムできれいにけしてください。
   Erase any unintended marks completely.
3. きたなくしたり、おったりしないでください。
   Do not soil or bend this sheet.
4. マークれい Marking examples

よいれい Correct Example	わるいれい Incorrect Examples
●	⊘ ○ ◐ ◑ ⦵ ○

もんだい 1

1	①	②	③	④
2	①	②	③	④
3	①	②	③	④
4	①	②	③	④
5	①	②	③	④
6	①	②	③	④
7	①	②	③	④
8	①	②	③	④
9	①	②	③	④
10	①	②	③	④

もんだい 2

11	①	②	③	④
12	①	②	③	④
13	①	②	③	④
14	①	②	③	④
15	①	②	③	④
16	①	②	③	④
17	①	②	③	④
18	①	②	③	④

もんだい 3

19	①	②	③	④
20	①	②	③	④
21	①	②	③	④
22	①	②	③	④
23	①	②	③	④
24	①	②	③	④
25	①	②	③	④
26	①	②	③	④
27	①	②	③	④
28	①	②	③	④

もんだい 4

29	①	②	③	④
30	①	②	③	④
31	①	②	③	④
32	①	②	③	④
33	①	②	③	④

日本語能力試験 完全模試 N5 かいとうようし
第2回 げんごちしき（ぶんぽう）・どっかい

なまえ Name

〈ちゅうい Notes〉

1. くろいえんぴつ（HB、No.2）でかいてください。
   （ペンやボールペンではかかないでください）
   Use a black medium soft (HB or No.2) pencil.
   (Do not use any kind of pen.)
2. かきなおすときは、けしゴムできれいにけしてください。
   Erase any unintended marks completely.
3. きたなくしたり、おったりしないでください。
   Do not soil or bend this sheet.
4. マークれい Marking examples

よいれい Correct Example	わるいれい Incorrect Examples
●	○ ◎ ⊘ ⊙ ◑ ●

もんだい 1

1	①	②	③	④
2	①	②	③	④
3	①	②	③	④
4	①	②	③	④
5	①	②	③	④
6	①	②	③	④
7	①	②	③	④
8	①	②	③	④
9	①	②	③	④
10	①	②	③	④
11	①	②	③	④
12	①	②	③	④
13	①	②	③	④
14	①	②	③	④
15	①	②	③	④
16	①	②	③	④

もんだい 2

17	①	②	③	④
18	①	②	③	④
19	①	②	③	④
20	①	②	③	④
21	①	②	③	④

もんだい 3

22	①	②	③	④
23	①	②	③	④
24	①	②	③	④
25	①	②	③	④
26	①	②	③	④

もんだい 4

27	①	②	③	④
28	①	②	③	④
29	①	②	③	④

もんだい 5

30	①	②	③	④
31	①	②	③	④

もんだい 6

32	①	②	③	④

日本語能力試験 完全模試 N5 かいとうようし
第2回 ちょうかい

なまえ
Name

〈ちゅうい Notes〉
1. くろいえんぴつ(HB、No.2)でかいてください。
 (ペンやボールペンではかかないでください)
 Use a black medium soft (HB or No.2) pencil.
 (Do not use any kind of pen.)
2. かきなおすときは、けしゴムできれいにけしてください。
 Erase any unintended marks completely.
3. きたなくしたり、おったりしないでください。
 Do not soil or bend this sheet.
4. マークれい Marking examples

よいれい Correct Example	わるいれい Incorrect Examples
●	◌ ⦵ ◐ ⊘ ◍

もんだい1

れい	①	●	③	④
1	①	②	③	④
2	①	②	③	④
3	①	②	③	④
4	①	②	③	④
5	①	②	③	④
6	①	②	③	④
7	①	②	③	④

もんだい2

れい	●	②	③	④
1	①	②	③	④
2	①	②	③	④
3	①	②	③	④
4	①	②	③	④
5	①	②	③	④
6	①	②	③	④

もんだい3

れい	①	●	③
1	①	②	③
2	①	②	③
3	①	②	③
4	①	②	③
5	①	②	③

もんだい4

れい	①	●	③
1	①	②	③
2	①	②	③
3	①	②	③
4	①	②	③
5	①	②	③
6	①	②	③

日本語能力試験 完全模試 N5 かいとうようし
第3回 げんごちしき (もじ・ごい)

なまえ
Name

〈ちゅうい Notes〉

1. くろいえんぴつ(HB、No.2)でかいてください。
   (ペンやボールペンではかかないでください)
   Use a black medium soft (HB or No.2) pencil.
   (Do not use any kind of pen.)
2. かきなおすときは、けしゴムできれいにけしてください。
   Erase any unintended marks completely.
3. きたなくしたり、おったりしないでください。
   Do not soil or bend this sheet.
4. マークれい Marking examples

よいれい Correct Example	わるいれい Incorrect Examples
●	◯ ◯ ◯ ◯ ◯ ◯

もんだい 1

1	①	②	③	④
2	①	②	③	④
3	①	②	③	④
4	①	②	③	④
5	①	②	③	④
6	①	②	③	④
7	①	②	③	④
8	①	②	③	④
9	①	②	③	④
10	①	②	③	④

もんだい 2

11	①	②	③	④
12	①	②	③	④
13	①	②	③	④
14	①	②	③	④
15	①	②	③	④
16	①	②	③	④
17	①	②	③	④
18	①	②	③	④

もんだい 3

19	①	②	③	④
20	①	②	③	④
21	①	②	③	④
22	①	②	③	④
23	①	②	③	④
24	①	②	③	④
25	①	②	③	④
26	①	②	③	④
27	①	②	③	④
28	①	②	③	④

もんだい 4

29	①	②	③	④
30	①	②	③	④
31	①	②	③	④
32	①	②	③	④
33	①	②	③	④

日本語能力試験 完全模試 N5 かいとうようし
第3回 げんごちしき（ぶんぽう）・どっかい

なまえ Name

〈ちゅうい Notes〉
1. くろいえんぴつ(HB、No.2)でかいてください。
   (ペンやボールペンではかかないでください)
   Use a black medium soft (HB or No.2) pencil.
   (Do not use any kind of pen.)
2. かきなおすときは、けしゴムできれいにけしてください。
   Erase any unintended marks completely.
3. きたなくしたり、おったりしないでください。
   Do not soil or bend this sheet.
4. マークれい Marking examples

よいれい Correct Example	わるいれい Incorrect Examples
●	⊘ ⊖ ◐ ○ ◍ ◑

もんだい 1

1	①	②	③	④
2	①	②	③	④
3	①	②	③	④
4	①	②	③	④
5	①	②	③	④
6	①	②	③	④
7	①	②	③	④
8	①	②	③	④
9	①	②	③	④
10	①	②	③	④
11	①	②	③	④
12	①	②	③	④
13	①	②	③	④
14	①	②	③	④
15	①	②	③	④
16	①	②	③	④

もんだい 2

17	①	②	③	④
18	①	②	③	④
19	①	②	③	④
20	①	②	③	④
21	①	②	③	④

もんだい 3

22	①	②	③	④
23	①	②	③	④
24	①	②	③	④
25	①	②	③	④
26	①	②	③	④

もんだい 4

27	①	②	③	④
28	①	②	③	④
29	①	②	③	④

もんだい 5

30	①	②	③	④
31	①	②	③	④

もんだい 6

32	①	②	③	④

日本語能力試験 完全模試 N5 かいとうようし
第3回 ちょうかい

なまえ
Name

〈ちゅうい Notes〉

1. くろいえんぴつ(HB、No.2)でかいてください。
   (ペンやボールペンではかかないでください)
   Use a black medium soft (HB or No.2) pencil.
   (Do not use any kind of pen.)
2. かきなおすときは、けしゴムできれいにけしてください。
   Erase any unintended marks completely.
3. きたなくしたり、おったりしないでください。
   Do not soil or bend this sheet.
4. マークれい Marking examples

よいれい Correct Example	わるいれい Incorrect Examples
●	⊘ ⊖ ○ ◐ ◑ ◉

もんだい 1

	1	2	3	4
れい	①	②	●	④
1	①	②	③	④
2	①	②	③	④
3	①	②	③	④
4	①	②	③	④
5	①	②	③	④
6	①	②	③	④
7	①	②	③	④

もんだい 2

	1	2	3	4
れい	●	②	③	④
1	①	②	③	④
2	①	②	③	④
3	①	②	③	④
4	①	②	③	④
5	①	②	③	④
6	①	②	③	④

もんだい 3

	1	2	3
れい	①	●	③
1	①	②	③
2	①	②	③
3	①	②	③
4	①	②	③
5	①	②	③

もんだい 4

	1	2	3
れい	①	●	③
1	①	②	③
2	①	②	③
3	①	②	③
4	①	②	③
5	①	②	③
6	①	②	③